U0944061

萧乾 主编

新编文史笔记丛书

第四辑

40

羊城撷采

李曲斋题

◎广州市文史研究馆 编

●熊雨鹃 李曲斋 龙劲风 主编

中華書局

目录

政海纪闻

名人轶事

诗文掇拾

杏坛掠影

艺苑留珍

文物沉浮

影剧春秋

城乡访旧

故老谈丛

食在广州

序

萧 乾

读书界向来对野史有所偏爱。野史大多是信手拈来的历史片断，且往往出自亲历者之手。文直事核，不虚美，不隐恶，而文笔潇洒自如，意味隽永，自然朴实，篇幅不长；可以摊开来仔细咀嚼，也可供茶余酒后、行旅倥偬中，随手浏览。

鲁迅在《华盖集》中，曾几次对野史表示过好感。在《忽然想到》一文中写道：“历史上都写着中国的灵魂，指示着将来的命运，只因为涂饰太厚，废话太多，所以很不容易察出底细来。正如通过密叶投射在莓苔上面的月光，只看见点点碎影。但如看野史和杂记，可更容易了然了，因为他们究竟不必太摆史官的架子。”又在同书《这个与那个》一文中说：“野史和杂说自然也免不了有讹传，挟恩怨，但看往事却可以较分明，因为它究竟不像正史那样地装腔作势。”

全国文史研究馆所编的《新编文史笔记》丛书，内容也属野史杂说的范畴。我们希望这些以亲闻、亲见、亲历为主的轶事掌故、琐闻杂记，写人、事而摒除误会曲解，述历史而符合真实面目。

作为一种短隽有味，文字清奇而又雅俗共赏的文学体裁，笔记在中国具有悠久的传统。它始自魏晋，盛行于宋代。南朝刘义庆的《世说新语》，北宋沈括的《梦溪笔谈》，南宋陆游的《老学庵笔记》，明朝张岱的《陶庵梦忆》，清朝纪昀的《阅微草堂笔记》以及20世纪30年代初丰子恺的《缘缘堂随笔》，都是文学史上的奇葩。然而，近年来笔记乏人问津。因此，我们出这一套书，也包含着挽回颓势之意。

全国三十二所文史研究馆拥有雄厚的稿源，两千多位馆员和各馆联系的社会人士，都是丛书的撰稿人。他们都是文史界的耆宿，见多识广，阅历丰富：有的反对过帝制，有的在“五四”运动中扛过大旗，他们目睹过军阀的横行霸道，也经历过艰苦卓绝的八年抗战。这些历尽沧桑的饱学之士，他们的所见所闻，都是弥足珍贵的史料。

本丛书分辑出版，分别由各地文史研究馆编辑，内容亦以本乡本土为主。因此，各册势必具有浓厚的地方色彩。

本着笔记固有的传统，所收各文题材不嫌庞杂。举凡与文史有关的政治、经济、军事、文化、社会等方面，或记闻见杂事，或叙往昔交游，或忆社会百态，均在搜罗之列。时间跨度则自清末以迄1949年为止。这正是中华民族从闭关自守到走向世界，从落后羸弱到奋发图强，是天翻地覆、风起云涌的大半个世纪。其间，发生过多少可歌可泣的事迹，涌现过多少杰出的人物。以这一时间跨度为背景题材写出的笔记作品，必然是内容最为丰厚的。

在选稿标准上，我们坚持史料一定要真，内容要新；既要防止以讹传讹，也力避炒冷饭。在写法上务求短小精悍、生动活泼。每篇以千字为度，希望借此在文风方面，提倡一下简约。在版式上，则想做到既利于阅读，又便于携带。

恳切希望文史界方家及广大读者，不吝赐正。

孙中山石龙督战记

梁光权

1922年陈炯明背叛孙中山失败后，纠集残部退守东江惠州一带，负隅顽抗。孙中山为彻底消灭叛逆，巩固后方，以利北伐，在广州珠江南岸石冲口附近(原士敏土厂旧址)设立大本营，就任陆海军大元帅，统领粤、桂、湘、黔、滇等各省军队，派许崇智率军向粤东进剿。我当时在骑兵无线电大队任技士，随司令部进退。

惠州乃东江门户。城分内外两重，城墙高逾七米，厚四米，均系青石砌成，一般步枪小炮莫奈其何。我东征军从虎门威远炮台运来二十四厘米海岸大炮，架设在城外飞鹅岭上，向城墙轰击，亦无济于事，相持经年，东征并无进展。

1923 年 10 月，陈逆乘我军因久攻不下渐露疲态之际，纠集盘踞东江之洪兆麟、翁式亮、叶举等部，突然袭击反扑。我东征军措手不及，向博罗方面退却。我无线电大队随军部乘民船向石龙撤退，总司令许崇智乘大南洋专轮亦抵石龙。继而平南失守，石龙危急。如石龙再失，则叛敌可直下石滩入增城而直扑广州，局势十分危险。

广州方面闻讯，人心浮动。当此危急之际，孙大元帅立即率领所有元帅府参军、武官、警卫等乘专列火车直驶石龙。抵石龙后驻节车上，坐镇指挥。为稳定军心，特用数米长的白布，亲书“我在石龙，后退者斩！”八个大字的横额，高挂在火车上面。正在溃撤的粤军见到白布横额，知道大元帅坐镇石龙督战，消息传遍前线，顿时军心大定，士气重振，许崇智上车谒见大元帅请罪，孙中山令其戴罪立功，于是收容溃散官兵，就地整编。在石龙一带构筑工事，以资固守。同时更急调广州待命的各省援军，星夜开赴石龙、增城等地增援。由是军威大振，以雷霆万钧之势，迅速击溃顽敌，先后收复平南、博罗，使石龙转危为安。残敌遂溃退返回惠州，闭城死守。

综观其势，此役实乃东征北伐之序幕，亦为十分关键的一役。当时目睹孙中山临危不惧、指挥若定的主帅风度，实在令人敬佩。

朱执信遇难新说

涂直公

1920年夏，孙中山命陈炯明、邓铿、许崇智等率“援闽”粤军回粤，讨伐盘踞在广东的桂系军阀陆荣廷。大军进入紫金河源时，遭莫荣新所部桂军阻击，粤军一时无法进展。

朱执信就在这时到了香港，组织策动虎门要塞独立起义，同时联络东莞民军头领邓钧，使配合虎门要塞起义，答应成功后由他来接任虎门要塞司令之职。邓钧又与当地的绿林头子万沛联系，万答应随时可以策动虎门要塞附近几百个“绿林兄弟”支援。邓即对这些人封官许愿，得意忘形，以为从此可当上司令，左右一方了。时虎门要塞司令丘渭南，得知部属不稳，立即只身逃遁，虎门要塞起义成功。

虎门要塞起义独立后，起义官兵派追云舰到香港迎接朱执信。朱于9月19日抵达虎门要塞，对起义官兵进行慰劳，随行人员中有何振(仲达)等。何是东莞大汾乡人，清末搞过新军起义运动，对虎门一带情况熟悉，人缘也好，要塞内部旧日官兵对他均有好感。朱抵要塞司令部后，起义将领闻说虎门要塞司令已内定为邓钧时，纷纷提出反对。盖以虎门要塞官兵曾经围剿

过万沛的绿林,彼此交过仗,如邓、万上台,可能挟仇报复,因而向朱执信陈说,坚请改派何振为虎门要塞司令。朱经过考虑后,接纳众议,乃于9月21日在司令部召集全体起义军官及邓钧、万沛等人讲话。首先赞扬他们弃暗投明,奔向革命的义举,同时宣布虎门要塞司令一职由何振接任;邓、万等人响应独立有功,俟广州光复后,另行安排职位和奖赏。并勉励大家同心同德,为革命效力。

散会后,邓钧、万沛等人十分不满,他们在家中密商对策,决定实行暴动,乘乱杀死何振,以泄其忿。邓、万即于是晚纠集部众,从东莞太平镇附近袭击虎门要塞司令部。邓、万部属先从东门攻入,纵火焚烧火药库,顿时火光烛天,枪声大作。朱执信闻变,惊起出视,惨遭邓、万部下乱枪击中而死,时年仅三十六岁。

何振原与朱执信同在要塞司令部住宿,闻变急起,奔向西门,爬过高楼,翻山越岭,侥幸逃得性命。邓、万两人被炮台官兵乱枪击毙。暴动后,要塞官兵群龙无首,人心惶惶,丘渭南又在这时一度回来主持善后,故以后盛传朱执信之死,是丘渭南受莫荣新贿赂,假作起义,骗朱到虎门谋杀的。

粤军进入广州后,陈炯明任广东省长,命当时政务厅长古应芬召见何振,追问朱的殉难经过。何有所陈述,但古深信丘、莫勾结之传闻,痛斥何有意歪曲事实,终于扣留了二名虎门起义军官，说他们是凶手，押往朱执信墓前枪决。事前古曾要何作证，但何始终支吾其词，不敢肯定，使古大为不满，从此何振一直投闲置散，终身不被录用。

周恩来智救桂永清

陈以沛

抗战胜利后任海军总司令的桂永清，是黄埔军校一期学生。在1925年的第一次东征中，他任连长时曾被突然宣布执行“阵前枪决”。幸赖周恩来的明智果断，才将他救回的。可是在一些史料中，仅有这样的记载：“四月八日，依中央决议案，免桂永清死罪。”周恩来智救桂永清的真实情况被抹去了。

第一次国共合作期间，黄埔军校的“三千学子”组织了两个教导团，由校长蒋中正率领，参加了讨伐陈炯明的第一次东征。东征军与沿途群众紧密团结，英勇战斗，连战皆捷，挺进东江，扬威中外。但在清点攻克兴宁战果时，蒋介石突然宣布桂永清犯了贪污罪将他立即执行枪决。当年军校纪律严明，“军令如山，校规似铁”，谁也不敢抗令，军校政治部主任新兼军法处长周恩来，却认为此案情节可疑，人命关天，岂可草率从事。那时离行刑时刻不到两小时，在此紧急

关头怎么办呢？刚好那天是为孙中山逝世而举行国丧大典日，周恩来急中生智，以此为由，遵照自古以来军旅惯例，大丧期间停止行极刑，遂将桂永清临时押候处决，随即亲自查访实情，竭力穷究真相。

原来此案起因是黄埔军校东征军教导二团会攻兴宁城时，九连连长桂永清抢先攻入陈炯明悍将林虎的司令部，夺得军旗，师旗各一面，枪弹不少，应该说是立了功。但他却把敌司令部遗下的一套西装穿起来，自形得意，并将连部迁入敌司令部。于是招来了入城官兵的议论纷纷，有说："他缴获财物无数，据为己有"；有说"获得敌军港币十万元，隐瞒不报"。这时蒋介石已将行营移驻兴宁县署，听到关于桂永清种种传闻后，一时怒气冲冲，不分真假，说要严执军法，宣布将桂永清立即枪决。可是经过周恩来实际调查后，作出了实事求是的分析。他指出：3月20日攻入兴宁城之时，正值连日大雨滂沱，攻城官兵衣衫尽湿，桂永清就将敌人遗下的西装穿上，士兵也将几件西装送到连部，此外别无他物被桂永清据为己有。至于港币十万元之事更属无稽。敌人只会嫌现洋(指硬币)累赘，不便携带，岂有纸币也不带走之理。最后他还指出：这"贪污十万元港币"实出于一位副连长的诬告。周恩来就这样提供了有关的证物证词，将案情说得明明白白，以理服人。蒋介石看了周恩来提请将桂永清免罪的报告，无言以对，只好将前令撤销。

带头剪辫的车广

郭伟波

车广，广州市河南鹭江村人，父亲是鹭江村一间庙宇的庙祝公，家境贫寒，收入仅供一家糊口。车广年少失学，十四岁时随堂兄车茂轩赴安南(今越南)海防市谋生。由黄兴介绍加入孙中山的海外同志社，随后转入同盟会。辛亥革命前受孙中山委派，随黄兴等从安南回广州进行革命活动。车广被指定为河南鹭江、大塘一带的负责人，主要做宣传、联络工作。当时村民认为过埠的人多是知识丰富、见闻广博而备加尊重。加上车广为人善良，讲义气，赢得乡民的好感。他又利用父亲是庙祝公的社会关系，很快就团结上周围的乡亲农民，以鹭江村南的车家祠为活动据点。经过不断的宣传鼓动，使村民尤其是年轻人的思想逐渐倾向革命。车广见时机成熟，就布置进步青年分批到车家祠自动要求剪去长辫。在他们的带动和影响下，本村和外村乡民有很多人加入剪辫行动。当时鹭江、大塘一带的人们送给车广这班人一个绰号叫做“剪辫唛”。这一行动至今仍为该地区老年人所传诵。

民国初年，车广任孙中山大元帅府的卫士

队长。1922年陈炯明叛变革命,炮击观音山时,他曾奋身保护孙中山脱险。

最年轻的黄花岗烈士余东雄

余振唐

在辛亥革命“三二九”之役中,有一位最年轻的华侨志士慷慨殉难,他就是余东雄烈士。

余东雄,广东南海佛山人,从小就客居南洋。父亲是吡叻埠的企业家。东雄个性十分文静,平日不苟言笑。十五岁那年,听说当地有同盟会的组织,经过了解,知道同盟会要推翻腐朽的清朝帝制,拯救祖国生灵于水火之中,便偕同郭宝荣、郭继枚三人联名要求加入同盟会,为革命出力。起初,他想参加暗杀团,惩罚清廷的贪官污吏,但鉴于自己一向侨居海外,不了解国内的情况,不知从何入手。

到了1910年,吡叻埠同盟会的领导人前赴槟城,会见了孙中山、黄兴、赵声等,获悉一场巨大的革命风暴即将在广州掀起。回埠后,同盟会的成员摩拳擦掌,作好准备,余东雄等更是迫不及待,坚决要求该会介绍回国,参加起义。同盟会负责人认为他们兄弟少,初不同意所请,余东雄等再三表示,为国捐躯,义无反顾,终于获准回国。不料,就在这个时候,郭宝荣患了重病,医治无效去世，临终前，热切地希望余东雄、郭继枚两位为革命事业做出贡献。余东雄挥泪料理好后事，就立即收拾行装，于1911年农历正月二十九日和郭继枚匆匆北渡回国，抵达广州，在九如坊十号暂住。为了不让母亲牵挂，他写信告诉她，说这次回来主要是前往上海，不久就会返回佛山与家人团聚。

1911年4月27日(农历三月二十九日)，起义的枪声响彻云霄，余东雄偕同罗仲霍(七十二烈士之一，华侨)等进攻督署，奋不顾身，连掷三枚炸弹，炸死清兵二十余人，突破敌人的防营，登堂入室。因为找不到张鸣岐(两广总督)，便反身欲出，当时，垂死的清兵拼命反扑，枪林弹雨，余东雄全无惧色，左冲右突，寡不敌众，壮烈牺牲。

余东雄牺牲时年仅十八岁，是七十二烈士中最年轻的一个。

我参加粤秀楼战斗的回忆

张　猛

民国十一年(1922)六月十二、十三两天，盛传陈炯明在惠州召集党羽开会，要孙中山下野。十五日一早，住在总统府后面越秀山麓粤秀楼的孙中山先生就写了一条手令，叫我(那时我是

卫士大队机关枪连少校连长）到石井兵工厂领了一大批枪弹回总统府。傍晚，警卫团团长陈可钰令叶挺的第二营配置在德宣西路警察第二区(今越秀分局)到莲塘街这一线成曲尺形，加高沙包掩体，并叫我将两挺轻机枪配置在左右两翼，重点是拱卫大闸门。

到半夜十二时左右，外面风声甚急，林树巍、林直勉、陈志云等人来劝孙先生改装转移。当时围困总统府的叛军有二万余人，起初孙先生不肯走，认为自己平乱有责，愿与总统府共存亡。后因情况越来越危急，林等痛陈利害，孙先生才扮成医生，身穿白夏布长衫，戴起黑眼镜，手携药箱，与林等一起离开越秀楼。他们经过叛军重重岗哨，由林等假说母亲患急病要延医诊治，并给哨兵们一些茶钱，这才通过了几个岗哨，从内街经电灯厂右侧出天字码头，到达陈策的江防司令部，乘宝璧舰到白鹅潭，上了永丰舰开赴黄埔。

孙先生临行时命令卫士队长姚观顺坚守粤秀楼，并饬令警卫团长陈可钰保卫总统府，共同保护宋庆龄夫人的安全，约定听到海军炮响突围。到半夜二时左右，前哨就接触打起来了，一下子粤秀楼的战斗甚为激烈。当时卫士队只有六十余人，寡不敌众，姚观顺被打伤了脚，其余卫士也纷纷受伤。我亲眼见到马湘、黄惠龙两位副官挽扶着宋庆龄夫人由粤秀楼过天桥避入总统府。他们刚通过天桥，天桥就被敌炮弹击中，起火烧毁了。当时我与叶挺在陈可钰团长的带领下与叛军激战，志在保卫宋庆龄夫人安全脱险。这时，围攻正门的叛军却让开一条路，企图引我们冲出时一网打尽，叶挺识破敌人的阴谋，便分兵三路，叶在中路，以第六连殿后，俟机冲出。到下午五时多，仍未听到海军发炮响应。这时的电话、电灯线路都被截断了。我们苦战了一昼夜，已经弹药无多，又无援兵，不突围就要被消灭。于是由陈可钰带头，冲到公园围墙边，几经战斗，转到华宁里口时，见到黄、马两副官搀扶着宋庆龄夫人进入华宁里内走脱了。我的左脚负了伤，在司后街左右转弯，才转到了东较场魏邦平的卫戍司令部。

龙济光杀害报人康仲荦

龙劲风

1913年(民国二年)的中秋之夜，广东军阀龙济光在杀害广东省警察厅长陈景华的同时，也杀害了《震旦报》主笔康仲荦。

《震旦报》创刊于1911年2月，发起人为康仲荦、陈援庵(陈垣)，出资者为石室天主教神父法国人魏畅茂。一些革命志士借此作为掩护，杨匏安(后为共产党人)、廖平子等人常为该报撰写文章。民国成立后，该报仍继续刊行。陈垣则以加入同盟会，得选为国会议员，离开报馆，到北京去（后陈于1926—1952年任辅仁大学校长），而康仲荦仍然主持该报。

1913年7月18日陈炯明宣布广东独立，以响应苏、赣讨袁。康仲荦则每日发表评论，支持陈炯明。每下笔辄大书“康子曰”，并曾发表一篇题为“不斩袁头誓不休”的评论。迨二次革命(讨袁运动)失败，龙济光入粤，袁世凯委之为广东都督后，执政的革命党人尽数撤离广州。陈景华则以治安责任重大，不肯离去，而康仲荦虽经其妻弟龙卜周(该报编辑)屡劝其去香港暂避，康终不听。是年中秋之夜，陈景华与康仲荦均接到龙济光请柬，邀请他们到观音山赏月。二人到后，龙济光与之寒喧几句，即出示袁世凯来电，对陈景华加以“密谋煽乱，残害人命”和“私运枪械，接济赣匪”等罪名，立即枪毙，而康仲荦亦同时惨遭杀害。次日，龙济光下令封闭民党报馆八家，《震旦报》即其中之一。

南石头十五英烈

张 至

1927年“四一五”事件，中山大学学生被捕多人，囚禁于河南南石头惩教场监牢中。1928年2月11日黎明之前，这牢狱有十五位人民的优秀儿子，在南石头松林岗上一起浴血牺牲。他们是：陆国华、谭毅夫（即谭建勋）、李成通、黄锦涛、杨新民、张兆济（即张肇志）、何祝三（即彭粤生）、李润生、郭明生、卢福茂、苏家祺、邓剑虹、梁朝楝、丁正时、谭奇英（即谭其英）。

这十五位英烈视死如归。当提狱时，非常镇静，沿途高呼革命口号，从容就义。其中张肇志、苏家祺是海丰人，彭湃学生。张肇志法学院肄业，年仅二十二岁。苏家祺，医学院毕业，留校任外科大夫，也才二十八岁。张肇志留有《狱中遗诗》两首，就义前，他对同监难友说，死后骨头还会化为磷火，在珠江两岸烛照人间。遗诗如下：

铁锁锒铛心不寒，为将真理播人间。
伤痕血渍何须抿，南石牢头更漏残。
沉沉黑狱过新春，主义彰明慷慨陈。
虽是此身随物化，珠江夜夜照孤磷。

周贯明与沙基惨案纪念碑

龙学礼

1925年6月23日，广州工、农、商、学、兵为抗议帝国主义者在上海制造五卅惨案举行示威游行，队伍行经沙基，高呼打倒帝国主义口号，沙面租界英、法帝国主义恼羞成怒，竟不顾国际公法，隔河开枪扫射，造成牺牲五十二人、重伤百余人、轻伤无数的沙基惨案。广州消防队和光华医院等单位当即积极出动抢救。当时在西堤嘉南堂大楼开业的爱国医生周贯明,激于义愤,及时遍贴大幅启事,写道:

此次我广州市民及巡行群众,无辜惨被夷人残杀,枪炮齐施,断肢裂脑,凡有血气者莫不发指。其死于乱枪之下,已无可挽救,而受伤待医者正复不少。周贯明医生愿竭一己绵力,凡有受伤或遭践踏诸君子,到诊一律欢迎。医药两费,概行豁免。我市民不必要受辱于夷人复求乞于夷人也。市民诸君幸鉴斯言。西堤嘉南楼周贯明医务所启。

周贯明医生乃中国国民党党员,抢救伤员之余,当晚亲自写信给国民党中央党部(时设广州),建议为死难烈士立碑永留纪念,刻其姓名、年龄、籍贯、被害情形,竖立沙基堤岸,使国人见之触目惊心,而增国耻之痛。

越年,纪念碑建成,沙基亦改名"六二三路"以志国耻。碑立路东桥头,高一米多,正面刻着阴文"毋忘此日"四个大字和"中华民国十四年六月廿三日"字样。石座题:"中华民国十五年六月二十三日广州市政府立"。时正惨案发生一周年也。

张民达墓为何是衣冠冢

曹其华

广州先烈中路广州动物园左侧有一座张民达之墓，实乃衣冠冢。

张民达，早年加入同盟会，追随孙中山革命，历任建国粤军许崇智(汝为)部营、团、旅长。1924年擢升第二师师长。矢志忠贞，骁勇善战。1925年参与第一次东征，所向披靡，战功煊赫。4月初，为商议讨伐刘(震寰)、杨(希闵)大计，奉命从蕉岭顺舟遄赴汕头。适遇韩江洪水暴涨，船过潮州湘子桥时，覆舟遇难，沉尸未获，时年四十。翌年初，一农民在距湘子桥东数十里的七都祠沙滩捡获张的遗衣，内装袋表一个，刻有“民达弟存，汝为赠”字样。事闻于许崇智，出钱收回；并于广州东北郊即今先烈路东侧许崇仪墓附近辟地营衣冠冢。许对人言：“葬民达于此，是拜先兄时可一同祭扫也。”其情深谊笃可知矣。

是年春，经原建国粤军第二师参谋长叶剑英等呈报，国民政府军事委员会明令追赠张民达为陆军上将。

关于张民达罹难的原因，史料仅云“被洪水颠覆”，语焉不详。其实，张当时所乘的船是被横跨湘子桥水中的铁索所绊覆的。笔者当时适在

潮州,亲知其详。

潮安城东门外有一座横跨韩江、通往韩山的古老石桥——广济桥(又名湘子桥),该桥西岸十墩九眼,长约170多米;东岸十三墩十二眼,长约290多米。东西两墩之间仍有90多米宽的江中急流,无法架桥,须于两墩间系以铁索,拴住二十多艘浮船,上铺木板为渡。舟楫则穿越桥眼通行。洪水涨时,桥眼尽没,铁索亦浸入水中,浮船则解缆分泊东西两墩。此时行人止渡,舟楫亦不敢贸然闯入中流,以防水下铁索绊覆。而张民达当时因行军急迫,冒险闯过,致遭没顶。

1953年,中央人民政府授予张民达革命烈士称号,茔墓列为重点文物保护单位。

民族英雄徐名鸿之死

曹其华

1933年“闽变”中重要人物之一的徐名鸿(1897—1934),广东丰顺汤坑人。1927年加入中国共产党,参加过五四运动、北伐和南昌起义。

策动“闽变”之初,徐名鸿作为福建省政府和十九路军的全权代表,赴苏区瑞金会见了毛泽东、朱德、周恩来、林伯渠等中共领导人,双方签订了《反日反蒋的初步协定》,并达成双方军队脱离接触、交换俘虏、互派常驻代表等协议，使十九路军成为一支与红军合作抗日反蒋的国民党军队。根据《初步协定》精神，以后又签订了《闽西边界及交通条约》，达成了双方贸易协议，进行物资交换，解决了红军最需要的西药、食盐、煤油、布匹等物资，不但突破了蒋军的封锁，还获得厦门的出海港口，对红军十分有利。

徐名鸿由瑞金回闽后，积极为“闽变”准备工作。在一次作形势报告时，他引郑板桥一首诗：“咬定青山不放松，立根原在破岩中。千磨万击还坚劲，任尔东西南北风。”表达他抗日的决心。

福建人民政府成立后，徐名鸿任军事委员会副主任兼总政治部主任、汀龙省省长，并组织闽西农民自卫师，自兼总指挥。

1934年1月，“闽变”失败后，徐与蔡廷锴等离开龙岩，同到永定，准备经大埔、汕头转赴香港。徐因候其家眷，未与蔡等同行。至2月19日，徐携眷混在一批回粤的人流中，抵达大埔县时被逮捕。下狱后七天，事为第一集团军参谋长缪培南所闻，为报他在北伐时期与徐名鸿结下的一段私怨，遂报告陈济棠，由陈下令大埔县长梁若谷将徐就地枪杀。徐于临刑前草下遗言：“人民权力尚未实现……我今以身殉，亦足以报十九路军之同袍矣……国亡无日，愿我国民，好自为之。……家事久既忘之，亦无可多说，国尚难言，何以为家……我死归葬汤坑，墓碑幸请蔡

廷锴先生书之，碑曰‘社会主义者徐名鸿之墓，’余愿足矣。”从容就义，视死如归。

1935年8月1日，中共中央在长征途中发表的《为抗日救国告全国同胞书》中，称誉徐名鸿是“为救国而捐躯的民族英雄”。

李洁之妙计救群英

李小松

“南天王”陈济棠，以西南政府名义主粤军政多年。1934年间，陈的袍泽李洁之任广州市公安局长，其时有共产党员、第三党员（农工党前身）及爱国民主人士百余人系狱。各方人士急谋营救，乃请第三党领导人之一郭翘然出面与李商讨。郭为李资助开办之实践中学校长，与李属知交。李虽为陈济棠部下，但对政党派系并无偏见，对第三党创办人黄埔军校教育长邓演达先生尤表敬佩。郭乃以狱中多第三党人，应予营救，以慰邓先生在天之灵等语动之以情。李深表同情，并慨然允诺，俟机进言。

一日，李洁之借进见“南天王”之机，陈述广州治安情况尚属良好，人心向治，狱中囚徒多接受教化，均是总座宽严并济、政简刑清所致。陈济棠听到“政简刑清”的赞誉，为之动容，李乘机请求从宽释放羁囚，陈济棠在兴头之下允予所

请。李乃转告郭翘然，请各方面提出名单，立即查对所在监狱，旋下令按照名单释放。

李洁之妙用“政简刑清”这顶高帽子，使陈济棠受下不辞，于是一百四十多位革命人士得以出狱。农工党武装斗争负责人司徒慧中便为其中之一者。

李煦寰跪谏余汉谋

李慕程

1987年，我在香港曾见到1936年“两广事件”中的风云人物李煦寰，叙谈中李认为他一生中做了一件对得住国家民族的大事——促使广东“归政中央”。

情况是这样：在“两广事件”中，余汉谋背陈附蒋，这一史实，上了年纪的人都会知道。但事势演变的内幕以及关键时刻的主要角色及其活动，事隔五十多年，知之者就不多了。

1936年，日寇侵占东北，窥伺华北，妄图全面吞并我国之际，“南天王”陈济棠依然割据南粤，拥兵十五万众，并联合广西李、白，标起“北上抗日”旗帜，拟攻取南京。但陈同时又准备将所聘任的日本军官百数十人，派到所属的陆、海、空军当顾问。其时，粤军第一军军长余汉谋羽毛渐丰，坐镇粤北，举足轻重，对“南天王”宝座，每有觊觎之心。今陈派遣日本顾问，对其个人企图及国家民族前途均感不利，但对反陈拥蒋一时还犹豫不决。当时李煦寰任第一军政治部主任，以时势紧迫，千钧一发，乃毅然进见余汉谋，超越其拜把兄弟相见之礼，突然下跪，声泪俱下地说："我不愿大哥跟人家去做损害国家民族的事。应该当机立断，反陈拥蒋，归政中央。如您再不听我劝告，就请拘押我去见陈老总（指陈济棠）领功吧。"

另一方面，李煦寰又联合反陈拥蒋的将领李洁之、黄涛、莫希德、罗梓材等人，去说服争取一时还未愿参加反陈以至持反对意见的个别将领。这样双管齐下，才促使余汉谋下最后决心，移兵南雄、韶关一带，实行兵谏，迫陈下野，并发出通电归顺中央，李汉魂、邓龙光等将领亦纷纷响应。半年后，就发生了"西安事变"，实行逼蒋抗日，一致对外。"两广事件"的解决，客观上也起到一定的作用。

李煦寰和他的政工队

李慕程

1938年10月，日寇在广东大亚湾登陆后，余汉谋突接蒋介石电话，命令撤退。余遂背着坐失广州的奇耻，由第四战区副司令长官调任第十二集团军总司令。广州沦陷后，余部退守粤北。李煦寰任政治部主任，为重振军心，鼓舞士气，提高部队素质，他提出“卧薪尝胆，明耻教战”的计划，一面在翁源南浦开设军官补训团；一面在翁源香泉水开办政工人员训练班，招收进步青年，加强军队政治工作。据可靠资料记载，当时参加政工总队的，就有二百多中共地下党员，另有进步组织成员及各地进步青年八百多人。李煦寰抱着团结一切力量，共同抗日的宗旨，聘任了第三党(农工党)人陈卓凡任政治部主任秘书(后由郭翘然继任)，并由陈介绍进步人士王鼎新、林楚君、廖辅叔等担任政治教官。在李的默许和支持下，政工人员训练班里，思想开放，学员除读《三民主义》、《总裁言论》外，可自由阅读马列主义、毛泽东著作。允许教官用辩证唯物主义的观点讲解课本内容。学员接受进步思想后，多能成为粤北抗日阵地上政治宣传工作中的中坚分子。在震动全国的粤北两次大捷中，他们配合军队作战，鼓舞士气，发动民众，对取得胜利起到重要的作用。

1987 年，笔者在香港见到年届九十一高龄的李煦寰先生时，追忆往事，他犹兴奋地说：“就是这班‘细佬’(李对当时青年政工人员的昵称)，帮助我干了一番事业(指抗日战争)。他们威猛英勇，颈上挂上两个手榴弹，争先恐后冲上火线，对敌人展开宣传攻势，鼓舞我军士气，真是国家良材。”说话间神气昂扬，语调激动，彷佛还是当年在粤北抗日前线时的姿态。

昔日高朋满座，今朝客似云来

黄　昏

1938年10月，广州沦陷。12月间，国民政府任命李汉魂为广东省政府主席，并以韶关为临时省会。李是广东高州吴川人，因此，在省府各部门里任职的，也多是高州（茂名、信宜、吴川、化县等地）人。抗战胜利后，省府迁回广州，任罗卓英为广东省政府主席。罗是大埔客家人，这样，省府里任职的，又多为梅县、兴宁、大埔等地的客家人了。正是一朝天子一朝臣。当时广州有人借用酒楼茶肆间常见的"高朋满座"、"客似云来"的匾额语引申为"昔日高朋满座，今朝客似云来"，以形容官场人事的变迁。"高"指高州人，"客"指客家人，颇为切合，一时传诵。

蒋介石在军校最后一次动肝火

何崇校

1949年7月，蒋政权正处于土崩瓦解之时，蒋介石到广州与李宗仁等谈判。他命当时任广州绥靖公署副主任的一期校友梁华盛，招集在穗黄埔出身的高级军官，都到黄埔军校旧址听他训话，共计二十余人，我亦在其列。

那时蒋介石与何应钦住在停泊在军校前江面的一艘“座驾舰”上。听训的那天，我们集合在孙中山先生故居、名为“学海楼”的楼上候命。这座小楼于1938年日寇侵占广州时已被破坏，蒋来广州前，当局临时赶建起来的。

蒋介石未到达会场时，我们都在向北的骑楼上眺望江面。不久，望见一小汽船离开军舰朝我们这边开来。大家都说：“校长来了！”又见蒋的旁边是何应钦。我们即退回大厅就坐。不到三分钟，果见蒋介石在前，何应钦随后，登楼进入大厅，先由梁华盛代表在场同学请蒋训话。蒋对在旁的何应钦说：“敬之，你对他们讲讲。”何应钦便起立对我们讲了一段话，大意是：根据过去的经验，被共军占领的地区，一二年内反攻尚有可为，如果超过三年，共党在那边完成了土改，已扎下根，光复就难了。目前只有希望一两年内国际局势变化，我们乘机反攻，否则就难说了。何应钦这番话，没引起大家的注意。蒋便让大家提点意见。这时一个挂中将领章的人起立说：“现在局势已非常危殆，我们今后应怎么办？请校长今后仍直接领导我们的工作！”此君一说，不知怎的竟激起蒋大动肝火。他满面通红，提高嗓门，怒气冲冲地说：“你们已不是小孩了，出来做事也有一二十年，应该能够自立，难道还要我

手把手地领导你们工作不成！今天局面弄成这样，都是由于你们不争气，现在还有什么话好说！今后你们求生存，只有艰苦奋斗，死里求生，拖住共党，否则将死无葬身之地了！”大家只好默不作声。他歇了一下，缓和了口气，便说：“现在你们有什么要求，可以提出来。”座中只有容有略军长提出要求补充枪支弹药问题外，其余无人做声。蒋即起立，何应钦也跟着站起来，下楼去了。我们一齐立正相送。各怀心事，纷纷下楼而散。

国徽上两株禾穗的由来

涂舜英

1942年底在重庆时，由于一次偶然而又难得的机会，我荣幸地被邀请到宋庆龄家里参加一个欢送董必武等返回延安的茶会。应邀的人不多，有周恩来和邓颖超、冯玉祥和夫人李德全、陈乙明伉俪和三位我不相识的客人。大家围坐在壁炉前，聆听周恩来分析西北战场的战绩和国内外形势。那时窗外雪花飞舞，室内炉火正红，壁炉上交叉地垂摆着两株新割的禾穗，壁炉闪烁的火焰照映着金黄色的穗粒，显得十分可爱。李德全指着两株禾穗高声赞叹：“你们瞧，多么好看呵！这两株禾穗简直像金子铸成的一样。"宋庆龄笑着说:"这比金子还要宝贵呢,我们的国家自古以来就是以农立国,农民占全国人口的绝大多数,年年五谷丰登,人民才有好日子过。在几亿农民的心里,这饱满的禾穗不就比金子还好吗?"周恩来双手抚弄着禾穗,点点头说,"将来打了江山,人民坐了天下,一定要把这两株禾穗绘在新中国的国徽上面。"大家齐声表示赞同,并举杯祝愿新中国早日诞生!解放后,当中华人民共和国的国徽制定时,上面的两株禾穗果然金光灿烂地出现在人们的眼前,标志着新中国人民当家作主了。

名人轶事

刘永福在沙河

姚瑞英

清末爱国将领、黑旗军统帅刘永福受清政府之召，于光绪十一年(1885)从越南回到广州，看到广州的沙河山青水秀，便与族人好友商量，在沙河大洲地建立刘氏家庙。凡是刘姓出过钱的都是家庙的后人，规定每年清明第三天扫墓，所有家庙的后人都来参加。

刘氏家庙于光绪二十六年(1900)建成，并附设一忠义祠，专门安置在越南战争牺牲的官兵灵位。每到祭祀的日子，刘永福总是晨鸡未啼就起床，整肃衣冠，正坐待晓，并亲手陈设牲馐祭祀。

刘永福驻广州时，他率领的一千多官兵驻扎在沙河和燕塘的营盘，现在沙河还看得见刘永福营盘的遗迹。那时，广州东北郊燕塘有个“黑旗军演武亭”,亭外数里有一个义猿冢,传说此猿为刘将军在越南时所畜养,善晓人意。在越时,法军先后派人潜进他寓所放炸药,均为此猿嗅到,救了将军之命。猿死后,将军感其义,便将其葬于亭边,并立了石碑。

早在1894年7月，刘永福带兵勇渡台湾，英勇抗日。1903年2月,仍回到广州,在沙河养病。

刘永福长期在越南援越抗法，对越南人民有着深厚的感情。光绪三十二年(1906)越南爱国志士潘佩珠、阮强来访沙河刘氏家庙,刘永福积极支持潘佩珠组织以驱逐法国侵略军、光复越南为宗旨的越南维新会(后改为光复会)。潘佩珠便借刘氏家庙为集会场所,并以此为会址。

刘永福于1917年在家乡钦州病逝,终年八十岁。钦州是刘永福的故乡,沙河也应是刘永福的第二故乡了。白云山能仁寺前的山石上,还刻有他率部上山游玩时写下的造型奇特的“虎”字。华南工业大学化机系地段还矗立着后人为纪念他而立的“刘义亭”。刘氏后裔,现年八十八岁的刘光还记得:刘永福当年来沙河时,沙河民众总是鸣放爆竹、烟花，热烈欢迎这位爱国将领。刘光说,他十岁那年,刘永福来到沙河,他走上前去怯生生地叫了声“刘大人”,刘永福却笑着摸摸他的头说:“不要叫大人,叫叔公。”沙河人民永远记得刘永福,刘永福抗击法国侵略者的童谣——“刘义打番鬼,越打越好睇”,还在沙河人民中传诵不衰。

最早购买美国股票的伍崇曜

陈华新

提起伍崇曜的名字,广州人并不陌生,他是清代广州十三行洋商的首领。在清代道、咸年间,由他刊刻的《粤雅堂丛书》、《岭南遗书》、《楚庭耆旧遗诗》等,至今仍厚惠从事广东文史研究之学者。但是,关于伍崇曜购买美国股票,投资美国铁路事,则知之者甚少。原来美国在广州的旗昌洋行,与伍崇曜的父亲伍秉鉴早有业务关系。后伍崇曜接替他的父亲为怡和洋行买办和十三行洋商首领,拥有资本二千六百万元,可说是“富甲天下”。当时,旗昌洋行资金周转困难,伍崇曜便把大笔资金附股于旗昌洋行。1856年,旗昌洋行股东约翰·福士回美国,伍崇曜托他在美国购买五十万元股票,又投资修筑檀香山铁路。1858年,伍崇曜在美国分得股息二十余万两,以此推之,其投资额当在二百万上下,当时可算是巨额资金。

1930年约翰·福士的孙子担任美国驻日大使,曾在一个公开场合说:“我最近发现一张‘侯夸’(浩官,指伍崇曜)所签三十万元的支票,这张支票是他托我祖父为他投资于美国的,并且请我的祖父做他的商业的法定代表。”美国《约翰·福士书信及回忆录》也保存有伍崇曜在美国投资资料。

康有为创立“不缠足会”

敏　子

康有为年轻居乡时,读书之余,曾致力于提倡妇女不缠足,并组织了一个“不缠足会”。

自宋以来,中国妇女就有缠足的陋习,到清末,康有为的家乡——南海亦极盛行。康有为对此极为反感,特与一个当时由美回乡的华侨创立了一个“不缠足会”。凡不缠足的妇女皆可加入;已缠足的入会后必须放脚,放脚后全体会员向她表扬。康有为的两个女儿同薇、同璧当然也不缠足。此事在乡里引起很大轰动,有人惊疑,有人讥笑,也有人赞成。该会声势迅速扩大,影响及于广州与邻县,思想较新及深感缠足之苦的妇女都来参加。到康有为参政后,他更奏请光绪皇帝禁止缠足。

詹天佑的做事做官论

朱子勉

宣统二年(1910)农历八月我在北京参加留学生部试。部试总裁一为唐景崧,当时任学部尚书;一为詹天佑,当时任邮传部左参议。部试后拜见受知师(即考官),见唐景崧时,他只针对考生有些中文不过关,告勉大家留心国学;见詹天佑时,他却教我以做事做官的哲理。

拜见詹天佑时,谈话较长。因为当时我单独受到接见,又有同乡之谊,乡音交谈,倍感亲切。他说:"我们留学外国获得了一些知识技能,就要做一点事贡献国家。如果只想做官,就不能做事;想做事,万不可做官。做惯官的人一旦没有官做,精神便会十分痛苦。官不可做,但又不可无。在现在中国里,没有朝廷给予你一个官职,就没有地位,没有人把重要的事给你做。"他的意思是表示赞成我到京考试,但获得官职之后,万不可恋栈在京供职,要回广东办一点事业。可能有人说,邮传部左参议,明明是一个实缺的官,为什么詹自己做官,又劝人不要做官呢?他做这个官的经过,我不清楚,但从他一生事业来看,要做事不要做官的思想是很清楚的。我在北京见过他不久,他就回到广州来办理粤汉铁路了。

“强项之令，猛以济宽”的陈景华

艾　华

辛亥革命胜利后广东光复，广东军政府宣告成立，时社会治安不靖，但首任广东警察厅长竟不是军人，而是前清举人陈景华。

陈景华，字陆逵，广东香山（今中山市）人。中举后曾任广西桂平知县，因不满清廷腐败而加入同盟会，在暹罗（今泰国）当报馆主笔，从事革命宣传。1910年到香港，以在韦宝珊洋行任买办为掩护，继续从事革命活动。同盟会南方支部通讯处就是借助于韦宝珊洋行邮政信箱的。刘思复炸李准未遂被捕，也是通过陈的疏通而得以获释。他出任广东警察厅长，可谓受命于乱而待治之秋。当时，地痞流氓乘新旧交替之际，活动十分猖獗。为维护社会治安，他对危害社会治安的坏人采取严厉镇压的措施。他在一次亲自起草的警察厅布告中，开头便说：“景华以杀人著，夫人皆知，无俟多说。”至今在广州一些老人中，还流行着不少关于陈景华杀人的传说。或说他当警察厅长时，无日不杀人。据说他提审犯人时，若怒目相视，似无饶恕之意，犯人却多获从轻发落。反之，若微笑点头，似为默许，犯人必判极刑。

1912年袁世凯篡夺革命政权，陈景华不肯同流合污，袁深恨之，务去之为快，乃电谕龙济光俟机处决。1913年中秋节，龙济光以赏月为名，邀陈欢叙。陈至，寒喧数语，龙即出示袁电。陈知上当，无法申辩，只要了一瓶白兰地酒，一饮而尽。饮毕，即遭枪杀，时年不满五十。陈死后，其墓志铭有“强项之令，猛以济宽”八字，殆为陈盖棺之论！

孙中山倡导武术并爱看武术表演

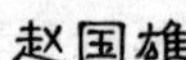

伟大的民主革命先行者孙中山先生，是一位武术运动的爱好者和热心倡导者。少年时，他常和同伴模仿太平军练拳，还到邻村去看“三合会”习武。在投身革命的年代里，他曾延师学武。他说：“中国的拳勇技击，与西方的飞机大炮有同等作用。”“处竞争剧烈的时代，不知求自卫之道，则不适于生存。”他号召国民练习武术增强体魄，来“强种保国”，1919年，他特地为精武体育会作了“尚武精神”的题词。

1921年5月5日，孙中山在广州就任非常大总统。是日，全市张灯结彩，热烈庆祝。市内各工会、各会馆和武术馆的群众，都集于观音山(现称越秀山)下大总统府广场，尽情表演各种文体节目。其中最受孙中山先生赞赏的，要算武术表演了。

为了庆贺民主革命胜利及孙中山先生就任大总统，广州武术界的名师高徒，都亮出自己的"看家本领"，有的表演单人拳、棒、枪、剑，有的表演双人对拆技击，都博得了观众的热烈掌声，孙中山先生也为之连声称赞。

正当表演进入高潮时，孙中山先生突然把他的侍卫官马湘和黄惠龙叫到身边，要他们也露一手，让大家看看。马、黄两人由于职务需要，平时也练就了一些功夫。此时此刻，孙先生要他们上台表演，虽然感到有些突然，但心情都异常激动，马上立正回答一声："是。"只见两人脱去军服，换上"精武体育会"的练武服装，健步走上舞台。先是黄惠龙手握竹节钢鞭，向孙中山先生和观众拱手行礼后，一连表演了一百多路鞭法。接着马湘也以娴熟的技巧，表演了一套八卦剑。观众为他们热情鼓掌，武术馆的拳师们也为他们助兴，整个场面空前热烈。当他们表演完毕走下台时，孙中山用称赞和鼓励的口吻对他们说："你二人的国术都练得不错，革命军人应该学习这些武术。"马、黄二人立即行了一个军礼，回答道："我们一定听大总统的话，练就一身硬功夫，保卫大总统。"

孙中山的演说艺术

艾　华

1961年夏，笔者曾听孙中山副官马湘讲了一个故事：1924年，孙中山到广东大学（今广东博物馆内）讲三民主义，由于礼堂不大，听众多，空气不好，灯光又暗，致使有些人昏昏欲睡。中山先生为了提起大家的精神，便穿插了一个故事："我少时在香港读书，见过有一位搬运工人买了一张马票，因无地方可藏，便藏在刻不离手之竹杠里，仅牢记马票之号码。后来马票开奖了，中头奖的正是他，便欣喜若狂地把竹杠抛到大海里，满以为今后不再靠这支竹杠生活了。及至领奖时才知道要凭票到银行领奖金。他猛然想起马票放在竹杠里，便拼命跑到海边去，可是连影子也没有了……。"讲完这个故事，中山接着说："民族主义就是这根竹杠。"意思就是说：要革命必须掌握一支强有力之武器，反对帝国主义。听者哄堂大笑，再没有人打瞌睡了。这则故事虽曾载于《三民主义》，马老所说，则绘影绘声，更能生动传神。

孙中山曾对人介绍演说之经验，他说："一、练姿势。身登演说台，其所具风度姿态，即须使全场有肃然起敬之心，开口讲演，举动格式，又

须使听者若有安静祥和之气，最忌轻佻作态。处处出于自然，有时词旨严重，唤起听众注意，却不可故作惊人模样。予少时研究演说，对镜练习，到无缺点为止。二、练语气。演说如作文然，以气为主，气贯则言之长短，声之高下皆宜。说到重要处，掷地作金石声；到平衡时，恐听者有倦意，宜旁引故事，杂以谐语，提起全场之精神。”上述关于马票之插话，正是他“旁引故事”，“提起全场之精神”的成功例证。

在第一次国共合作时，毛泽东任国民党中央委员，在广州听过孙中山的演说。他后来在《纪念孙中山先生》一文中回忆说：“孙先生是一个谦虚的人。我听过他多次讲演，感到他有一种宏伟的气魄。”孙中山不仅是一位革命家，也是一位演说家，他善于慑服听众，甚至连怀有敌意之人，听了他的演说也为之动容。

黄晦闻对章太炎一往情深

李韶清

1914 年 2 月，袁世凯禁锢章太炎于北京一废置军事校舍中，黄晦闻闻讯愤慨不平，当即致书当时的国务总理李经羲，力为营救。是年 6 月章太炎被移锢龙泉寺，由是槁饿绝食，遗书家人

收骨。晦闻获悉，愤虑交集，复驰书李经羲极力抗议。

晦闻书发后，袁世凯慑于民情，惧太炎坚持反抗卒致饿死狱中，自己不免受全国舆论抨击，遂稍许以善遇，移太炎于东城钱粮胡同。袁氏为表示尊重学者，饬属月致银五百元，赁屋治食，悉由太炎自主。惟以巡警充阍人，稽察出入。书札往还，必付总厅检视。宾客往晤，必由总厅与证。名为自由，实则仍是羁禁。晦闻屡次前往探望，辄被阍人所阻。

袁氏为谋久羁太炎计，乃遣说客劝其接眷入京。太炎亦觉困居寂寞，曾屡致书汤夫人，促其入都，而汤夫人疑惧观望，徘徊不前。太炎曾对马叙伦云："日前晦闻发书颇见效果，可请其贻书汤夫人，劝伊北来。"晦闻因亦迅速邮达汤夫人。于此可见晦闻与太炎私交之深。

1935 年，晦闻先太炎而逝。太炎痛失知己，为之亲撰墓铭，有云："余之辞不足以增饰晦闻，虽然使晦闻而用，民国之政，必不媮薄以逮今日无疑也。"又挽以联语云："赤伏自陈符，严子何心来犯座；黄初虽定乱，管生终日尚挥锄。"太炎以严子陵、管幼安比拟晦闻，可见其对晦闻之推许。

黄晦闻与梁任公切磋学问

李韶清

黄晦闻(节)与梁任公(启超)同年同月生，同为朱九江(次琦)再传弟子。民国后，任公居高位，历长财政、司法，声闻名望，人无不知。晦闻辛亥革命后，始任广东高等学堂监督，继而就北京大学教授之聘，矻矻穷年，终身著述。1924年，任公在清华讲学，论《毛诗》、《楚辞》，是时晦闻亦在北大讲授《毛诗》及汉魏六朝诗。时有北大学生某，见任公所编讲义，讶其与晦闻所论多不同，遂将任公讲义请益晦闻，晦闻细阅，觉其中确有许多出入，特去函任公与之商榷。不料数月不复，晦闻深不以为然，乃再致书，直言其错误之处。

函中列举有关《诗经》、《楚辞》问题质疑后，有云："以上数端有所疑者，愿足下深求之。方今学子趋向，皇皇无定，足下一言一行，足动观听，况夫又在指导后生，何可轻率从事，义例不明，援据失实，自欺不已，更以误人，亦岂所望于足下耶？"

任公接晦闻书后，曾对林宰平说过，"晦闻对于《毛诗》、《楚辞》、汉魏六朝诗，研究极有心得，所见甚是，他所指出的，我经过细心论证，是无懈可击的。我感佩他的厚意,信我是不复了,你晤及晦闻,请代为转达我的意思。”

邓演达生活琐记

何崇校

我在黄埔军校学习时，与管理官长食堂的叶副官是同乡相熟,经常接触。他和我谈及邓演达先生的一些琐事,至今记忆犹新。叶副官说,在黄埔时，教育长王柏龄经常在食堂喊管理伙食的副官出来申斥,不是说菜煮得太淡或太咸,就是说米饭煮得太硬或馒头蒸得不松，诸多挑剔。后来换了邓演达做教育长,和王柏龄完全不同,从不听见邓演达对伙食有所挑剔。邓还有一种特性,他每餐进食,只夹取面前那碟菜,如果面前是碟豆腐,他就只吃豆腐。我们摸知他这种特性,就在每餐摆菜时,将各种不同饭菜,轮流放在他面前,配合得当,让他吃得均匀。邓演达的人品道德、精神与风度,极得学生敬仰,因此,蒋介石对他十分猜忌,后来因政见不同,竟将邓杀害,使我国丧失一位杰出的军事领袖。我追忆至此,仍感伤神,特记上数行,来怀念这位可敬的老师。

蔡廷锴说长论短

罗培元

蔡廷锴将军是行伍出身的军官，有人曾问他："你是个老百姓出身的普通一兵，怎会步步高升，当起军长、总司令来呢？"他很幽默的答道："靠我长得高呗。"接着他解释道："因为我长的特别高，排队总是站在排头第一位，长官点名，先看花名册，第一名就是我，所以容易引起长官的认识、注意，随时叫得出我的名字。在士兵中，也由于我身材高，人人叫我高佬蔡，有什么公事也推举我出头向长官请求报告。我就是凭这身高的特点，受到长官赏识，所以升迁得快些。"

1948年在香港时，蔡廷锴将军还对我打趣说："我当兵是因为穷，这穷又和我蔡家老祖宗的腿不长不短有关。"我听了以后，摸不着头脑，因再问其故。他说："我蔡家老祖宗是从外地迁到罗定这个'穷出骨'的地方来的，如果老祖宗的腿短一点，不走到罗定，到了三水、四邑这些富庶地方定居下来，只要肯耕种或者做点小本生意，我蔡家这一族人也不会迁到罗定，穷到要吃'黄狗头'（一种蕨类植物）；又如果腿长一点的话，不怎么费力就可跨越过两广交界的大山脉，到广西北流、容县和玉林一带土地肥沃、商旅繁盛之区，在这些地方定居，一条扁担，一对箩筐，就可养活一家人。再穷也不致于穷成这个样子。就是这么倒霉，我老祖宗生着不长不短的腿，落籍在'饿定'(罗定的谐音)这个地方。"可见身经百战的蔡将军，也有其幽默风趣的一面。

潘达微计赚吴昌硕

麦汉兴

清末民初，金石书画家西冷印社创办人吴昌硕，名噪一时，求墨宝者甚众。据当时笔润，书法每尺二十两，印章每字十两，匾额另议(画未列)，而商店招牌，则虽出重金，一律不写，亲友相求亦不顾也。

吴之畏友潘达微，早年奔走革命，民国成立，隐居不仕。民国十三年(1924)，于香港威灵顿街开设照相馆(广州十八甫亦有分店)，并作为给同志们往来联系之所。该店取名"宝光"。潘竟妙想天开，欲请昌硕大笔写招牌，但素知吴老惯例，不敢造次。于是心生一计，特地走访吴宅，谓近画观音大士一帧，朝夕顶礼，然苦无横额相衬，谨请吴老为我写"宝光"两字以全其美。于是拿出冷金大红笺铺在案上，吴老不知是计，欣然命笔，以石鼓文笔意书之。因是供佛横额，故只署下款，并附小引，这正合潘的心意。返香港后，即以木板刻作招牌。其真迹则裱以宋锦，高悬客厅观音像上，一时众皆称妙。此事后为吴所闻，甚不以为然。此亦一艺林趣事也。

陈延年甘当手车夫

黄穗生

陈延年安徽人，陈独秀的长子，曾就读于上海复旦大学，1920年以勤工俭学留学巴黎。1924年国共合作期间，陈延年被派到中共广东区委工作。1924年11月任广东区委秘书兼组织部长，1925年接任广东区委书记。

延年身体魁梧，步履刚劲，常着工人服，戴便帽，到万福路、大南路和东堤等手车工人聚集之地，与工人交友谈心，学拉黄包车，学讲广州话。且常与手车工人一起到“二厘馆”(广州最低等之饭店)吃饭、拉家常、谈人生和社会革命之道，毫无留学生与高级领导人的架子，工友们亲切地称他为“老陈”。

当时，香港《工商日报》就延年拉手车之事刊出一则消息，谓共产党之高级领导竟当手车夫云云。字里行间，不无嘲讽之意。延年阅后，微笑道：“如果工作需要，不管任何同志，当手车夫也是光荣的。”

广州手车工人后来成立了手车夫工会，会员数千人，成为广州工人反帝反封建斗争的一面旗帜，一股重要力量，这与陈延年深入教育和缜密组织的工作分不开的。

高语罕赋诗述怀

何崇校

我于1925年底考入黄埔军校。政治教官中有位高语罕，安徽人，头已斑白，数他年龄最长了。他社会阅历丰富，讲国际政治，旁征博引，妙趣横生，我很爱听他讲课。“中山舰事件”发生后，他不来授课了，我很感惋惜。后来我得读一本书信集，集中有高的一首诗。诗曰：

离骚读罢听悲笳，入夜江心走万蛇。
曾住此间三月暮，而今一水是天涯。

诗的题目是《夜泊黄埔》。这是“中山舰事件”之后，高语罕易服出走离开广州，夜半泊船黄埔时，有感而吟了这首诗。我爱此诗哀而不怨，故迄今尚能记得。

陈树人以子为师

邓端本

岭南画派创始人之一、著名画家陈树人,不但是中国国画的锐意革新者,而且也是一个民主主义革命者。更难能可贵的是,他支持儿子陈复致力共产主义事业,并提出以子为师。

陈树人的儿子陈复是中国共产党党员,1925年赴苏联莫斯科中山大学学习,1929年归国,在广州从事地下工作时被国民党特务绑架,秘密杀害时,年方二十五岁。陈树人得悉儿子噩耗后,悲愤填膺,在上海的《新民报》上撰文揭露其经过,并在广州"息园"(诗作"樗园")建亭,名"思复亭",作《哭子复》诗十首,刻碑于亭中。其一曰:

下层工作不辞卑,游学归来更念兹。
革命至情能似此,已非吾子是吾师。

可见其爱子之情已达升华境界。

蒋介石最爱读的一部书

何崇校

我在黄埔军校时，据一位第一期的同学相告，蒋介石每每轮流邀请七、八名学生到他家作客，作个别谈话。有一回，他对来作客的学生说："我平生有一件最宝贵的东西，现在我放在卧室里，看你们谁能找它出来？"这几位学生拥进蒋的卧室，东翻西抄，不知什么东西，蒋说得如此宝贵。这回作客的有李之龙，性机警活泼，他不忙进卧室，反而跑到厨房找蒋家一个上海女佣人，问"校长的卧室里有什么宝贝，校长那样宝贵？"女佣说："我亦不知，只是他枕头下面的一部书，我每次进房打扫清洁时，校长总说，枕头下这部书是他最宝贵的，不许我触动它"李之龙立即跑进卧室，拉开枕头一看，果然有部书，是曾国藩文集。李之龙这个机灵鬼拿起这本书，连喊："我找到了！我找到了！"问蒋是不是这个宝贝，蒋连连点头，并对学生说："我很佩服曾国藩，他的立身行事，不少地方可供我们学习，我希望今后你们也仔细读读他的书。"

鲁迅在广州开书店

麦文峰

鲁迅于1927年1月到广州在中山大学任教，为活跃广州的青年文化生活，还和孙伏园教授在芳草街四十四号开过一间书店。因为店面不大，卖的又是北新书店的书，所以叫做“北新书屋”。

经过短时间的筹备，书屋在当年3月25日正式开张，原来比较寂静的芳草街，这一天热闹非常，前来买书的青年很多，鲁迅先生也兴高采烈地招呼前来买书的顾客。

为了书屋的开张，许广平还特意写了《北新书屋》的短文，当作广告，刊登在同月31日广州《国民新闻》的副刊上。

这间书屋平时交由许广平的妹妹许月平料理，鲁迅只是做“后台老板”。平时，鲁迅有空亦常去书屋走走，和青年们见面，谈论文学。因此，不少爱好文学的青年除来这里购买新书外，也常来这里等候鲁迅，向先生请教。鲁迅为办这间书屋花了不少精力，但不到半年时间，因政治风潮，鲁迅于4月15日辞去了中山大学职务。不久，北新书屋也就停业了。所剩下的书，也廉价让给了永汉路的共和书局。在移交这些书籍时，从包装到搬运,鲁迅都亲自动手,而且停业结欠的八十元,也由他掏腰包付清。所以后来他在写给友人章廷谦的信中曾风趣地说:“别人做生意而我折本,岂不怪哉!”

8月15日,就是书籍移交给共和书局那天,鲁迅将事务办完之后,还兴致勃勃地请了几个前来帮手的青年,去“妙奇香”茶楼吃饭。席间,这位导师兼“老板”还亲自提壶酌酒,谈笑风生,那热闹的场面,在旁人看来,还以为是庆功祝捷呢!

记高剑父二三事

陈曙风

高剑父居广州时,自奉甚薄,饮茶常到廉价之“二厘馆”,不喜上大茶楼。写信、写稿、读书,均在其中。因此等地方,不易遇到熟人,可免不必要之应酬。

剑父常夜出,宵深始返,挟竹杖以随。常语人曰:“一生流浪,即不及归家,死在路中,亦所不惜。”其寓所窗门启闭,表示“在”与“不在”,只接近者知之,盖防俗客之扰也。求画者以纸来,得其画者十中无一,晚年应酬之作,多为拒绝;又不喜人藏其书札,故常用铅笔写信。一说谓剑父晚年目力不佳,铅笔写字,乃易于摸索笔画位置之故。

剑父晚年有数愿：一为携其作品出国，以中国现代美术与世界画坛人士相见；一为招致东亚邻国爱中国画者至中国习画（闻游印度访泰戈尔时，认识印度美术院长波士，相约异日如有机缘，招印度学生来中国学画）；一为办美术学院。上述三项志愿中，仅办成美术学院，实现其一。

自奉俭朴的邹鲁

黄　昏

邹鲁早年追随孙中山先生，参加同盟会，亲与辛亥广州起义之役，是旧民主革命元老。中山先生逝世后，他又一直在广州肩负起中山大学的建校，迁校任务，并任该校校长十多年，为国家培育了大批人材。他一向自奉俭薄，爱扶掖后进，赢得社会的好评。

说来令人难以置信，作为一个国民党中央委员，竟然没有自置过一间房屋和半亩田产。所以我们大埔家乡人都很亲昵地以“鲁伯”称呼他，知识界则又把他作为文化的象征，尊称他为“海滨先生”，海滨，先生别号也。

最使我难忘的一件事是，1946年6月，我因失学在重庆，特意去拜访他。当时我是带着诚恐

诚惶心理的，认为他是一位国民党高层要员，会不会轻易接见我呢？没有钱，守门的人肯不肯给我通报呢？我在担心中走到了他家门口，原来他住的是一座普通平房，门口也没人站岗。只见一位没有蓄发，身着一件土布长衫，执着扫帚在扫地的老人。开始我怀疑是找错了地址，便问道："伯伯！请问有没有一位邹伯伯住在这里？"那老人用手推高了一下眼镜，向我仔细看了一下，"姓邹的就是我，有什么事？"这一回答，我想，他既是姓邹，应该没有找错地方，但是我又从他的穿着上考虑，姓邹的并不等于就是鲁伯。于是我接着说："我想见见鲁伯。"他好像不耐烦地答了一句："姓邹的就是我。"这时，我才恍然清醒过来。我真的找到了鲁伯。在旧社会，我见过的不论是一个乡长，或是一个保长，他们的穿着非丝即绒，官气十足，谁料想得到一个国民党开国元老会这样简朴、平易近人呢？至于邹夫人亲自为我斟茶，写信介绍我入学等不厌其烦的关怀细节，我就不详叙下去了。

四十八年过去了，然而他那种客家人所特有的刻苦、俭朴的典型风范，却一直留在我心中。

陈济棠的"祭孔"与"读经"

叶舒鹏

三十年代初陈济棠主粤时期,提倡读经、尊孔,于是每年举行祭孔典礼(春秋二祭)。那时成立有广东省立民众教育馆,附设有国乐研究会,聘有乐师二十余人,从事音乐研究工作,我是其中之一。祭孔要奏韶乐,我们奉命行事,由国乐研究会主任易剑泉老师主持,组成祭孔乐队认真排练。到祭孔之日,所有文职官员天未亮就齐集孔庙,人人穿长袍马褂,等陈济棠来。礼始,三跪九叩,有人司仪,还要击鼓鸣钟,奏起韶乐,煞有介事。事后每人分得烧肉两斤,算是酬劳我们。

陈济棠提倡读经,以读《孝经》为主。规定从小学一年级起就要开始,至初中就要读完《大学》、《中庸》、《论语》、《孟子》。设立"编经委员会",编订适合初小读的《新公民课本》(以经为内容)和适合高小至初中的《经训读本》。还编成一本《孝经新诂》。所有这些读本内容,都要为陈济棠歌功颂德和着重提出"忠臣必出于孝子之门"等"忠君"思想。

胡汉民嗜弈致命

倪俊明

世间不乏嗜弈者，然以嗜之而致命如胡汉民者，却不多见。

1936年5月9日，胡汉民在其妻兄陈融的越秀山下黄梅花屋雅集，饭后，胡汉民便与陈的家庭教师潘景夷下象棋。首局胡取胜领先。次局开始，又是他占优势。接着，他以象角马跳槽过河，强卧敌槽，同时开车渡河，再起伏槽马，迫出敌帅，横河车压当道，想以卒吃敌马，一举击溃对方。不料，车临河头，对方象角伏了一炮，填入士角，这样一来，他虽然可以吃马，但非丢车不可，一着之差，优势转为劣势。胡汉民对着棋盘扶头苦思良久，突然一声长叹，只说出"头很痛"三字，便从椅子上晕厥倒地。众人忙将他扶起，立即延请中外名医救治，经诊断为用脑过度，右侧脑溢血，三天后便身亡。

为了一盘象棋的胜负而拼命，似乎不可思议，但它却印证了胡汉民好胜、认真、执着的个性。

冯缃碧与梅兰芳的一段交谊

麦汉兴

画家冯缃碧昔年在上海，观梅兰芳演出《霸王别姬》，梅饰虞姬。演出时，虞姬掀开帘幕，唱倒板："可怜无定河边骨，犹是春闺梦里人。"宛转悲凉。冯觉得好是好了，可是细思之下这是唐人诗句。一时兴发，即写了一张便条："楚汉时不可能有此唐人诗，这是宋版《康熙字典》呵！"并署了名，然后请人传上后台。冯本无意多事，不过为纠正错误一吐为快而已。不期梅氏演出完毕，即使人相邀："请冯先生到后台相见。"冯愕然，及至后台，时梅已卸妆，一见之下，与冯紧紧握手，连声道谢不止，并谓："我在京津上演此戏不下数十场，从无一人指出，以至一错再错，若非先生一言，则将不知错到何时矣。"遂欣然与冯夜宵，相与评论诗词乐曲，翌日两人又共进午餐，畅谈之下，始知冯能画，因而更相契合。又邀到其家作画，冯写山水扇面予之，梅亦写梅花扇为赠。如此数日，友情弥笃。冯南归时，梅亲送至车站。次年梅到广州海珠戏院演出，冯亦曾尽东道之谊。

耿介清廉的姚雨平

秦庆钧

1942年我参加广东省县长考试,幸居第二,派任平远县长。平远乃姚雨平将军故乡,他为大柘乡人,我对他久为仰慕。1944年他由陪都回乡,我当即往大柘晋谒。不意,我抵达时姚已伫立门外欢迎,使我难以为情,不知所措。及见,将军不似纠纠武夫,而像一个恂恂儒者。他知道我双亲寓于县府,翌晨即具豚蹄来县府回拜,这使我更不敢当。

有一日,李汉魂主席来平远拜访将军,我亦陪往,见到的却如接一般朋友,没有先前对我那样礼重。我怪而问之曰:"我是一个芝麻绿豆七品官,将军以堂堂中央大员对我如此客气,李主席是一省之长,将军只以常礼待之,我实不解。"将军笑曰:"你虽然官阶不高,但是平远县长,我是平远子民,你就是我的父母官,敢不尽礼?旧制,即使宰相还乡对父母官亦必须尽礼。至于伯豪(汉魂字)在军历上,是后我三四辈了。"将军这样说,使我更表钦敬。

有一次,我在将军家里作客,将军却饬家人将杠杠箱箱,都摆出大厅,开了铜锁,全部揭开。我以为他们搞卫生,晾晒衣物,便起身告辞。将军拉我的手说:“我是监察委员,但不能监察自己。你是父母官,又是会计师,请你为我监察证明。”我愕然不解,将军继续说:“有人传我做大官,捞了大钱。不错,我是当过大官,但并没有捞过大钱。我在乡中没有盖过一间房,没有买过一分田,有的都是祖先所遗下的。家中亦无金银珠宝,银行亦无存款。我的身家尽在于此了,请县长检查。”我迫于无奈,便说,这样就恭敬不如从命了。检视之下,无非粗衣麻布御寒衣服之类,其中最名贵的,不过绉纱长衫三两件,黑马褂两件而已。我对将军说:“将军之廉洁,有口皆碑。我初履任时,发贷无息仓谷,府上亦贷了三石,夏收后才清还,现尚有账可查。这更可证明将军家境之清寒了。”将军听罢。莞尔一笑。

回忆父亲冼星海

冼妮娜

我的父亲冼星海于1945年在莫斯科病逝时,我还是在母亲怀抱中的一个婴儿。后来,我听到我母亲的忆述和看到我父亲的遗稿和书信,才渐渐知道我父亲生前的一些情况。

1905年的一个夏夜,我的奶奶渔家妇女黄苏英生下了一个小孩。可惜,孩子的父亲冼喜泰早在半年前就被大海吞没了。我的奶奶想,给孩子起一个什么名字好呢？她望着大海，望着星星，就把这个遗腹子叫做星海。

没了丈夫，为了生活，奶奶带同我父亲回到娘家，和他们一起在海上捕鱼为生。我父亲也就在大海中慢慢长大。到1911年，我奶奶带着我父亲到新加坡为人佣工维持生活，并让我父亲上学。我父亲先后读过英办学校和华侨学校，由于成绩优良，当广州岭南大学到新加坡招收华侨学生时，便被录取回岭南大学附中读书。他爱好文学艺术，曾在学校刊物《星社》当过美术编辑，又发表过《中国书法略谭》等文章，并以《春思》为题，写过一首《如梦令》在《南大思潮》上发表，得到老师的赞赏。附中毕业后，他考上了岭大文科。

他在岭大附中时，就酷爱音乐，几乎用了所有课余时间去学习单簧管、黑管、小提琴等乐器，吹、拉、弹、击样样都会，并担任乐队指挥，参加校内外演出。为了对音乐的深造和探索，他先后考入了北京音专和上海音乐学院。他曾在校刊上发表《普遍音乐》的短文，指出："中国需要的不是贵族化的私人音乐，而是要普及音乐和音乐教育，提高人民文化，使国家富强起来，要产生自己的贝多芬。"

1930年2月，他要去法国巴黎求学，旅费不足，就采取分段走的办法，先到新加坡做工，积了一点钱，再搭上轮船，在船上当苦力，烧锅炉，艰苦地到了巴黎。读上了巴黎音乐院后，他仍要到饭馆当跑堂,半工半读地进行学习。他终于以惊人的毅力,奋斗、拼搏,毕业于这所举世闻名的音乐学府。

他是于1935年回到上海,1938年秋天应延安鲁迅艺术学院的延聘,11月同他的新婚妻子(我的妈妈)钱韵玲奔赴延安的。至于他在此之前和以后的情况,许多人都知道,不用我多说了。

邹韬奋与前妻的婚事波折

叶舒鹏

邹韬奋祖籍江西,其祖父舒予,历任福建省永定县、长乐县知县、延平府知府。韬奋的父亲国珍,曾任福建省盐运使。由于邹父和我的哥哥叶舒藻同事交好,于是两老议定结为亲家。我哥哥将长女叶复琼许配给邹韬奋。这是父母之命所定下的婚事,韬奋则提出反对,要自由恋爱,文明结婚,要解除这一婚约。而我侄女则认为一女不许二夫,矢志不再谈婚嫁,宁愿独身终老。这样,婚事就弄成僵局。后来韬奋竟为我侄女的情意所感动,终于结成眷属,于1922年由我哥哥送复琼到上海完婚。但在婚礼问题上又发生一些意见:我哥哥要用大红花轿迎娶,而韬奋则要行文明婚礼,最后我哥哥终于让步。

婚后，邹氏夫妻相敬如宾，感情甚笃，时仅两年，复琼因病不治去世。韬奋悲痛万分，常独自一人跑到停柩处痛哭，其夫妻感情之深由此可见。

邓慕韩保藏孙中山手校《三民主义》稿

刘涛 陈奋

邓慕韩先生，广东三水人。早年追随孙中山在国内外奔走革命，是第一批同盟会会员。他曾用了六年多时间保藏孙中山亲手校订的《三民主义》演讲记录稿，辗转送到国民党中央党史会。

孙中山所著的《三民主义》手稿，毁于陈炯明叛变的炮火。1924年1月27日，孙中山在广东大学礼堂开始系统地讲述“三民主义”，每周演讲一次，每次二小时，共讲了十六次三十二小时。其演讲统由黄昌谷、罗磊生记录整理，缮正后呈孙中山校核审定。是为孙中山之“三民主义”演讲亲手校订的记录稿。

孙中山在北京逝世前，曾嘱随侍的黄昌谷回广州大本营取出《手校稿》保管。黄后以公干于京津，行前将《手校稿》托罗磊生暂代收藏。罗又交余和鸿而转存于广东革命纪念馆。

抗日战争发生,广州空袭频仍,广东革命纪念会常务董事邓慕韩把《手校稿》带回家乡三水县西南镇老家秘藏。西南镇继遭空袭,又移藏于南海县石涌乡亲戚家中,历时四年半。

1942年,国民党中央党史会刊行孙中山《三民主义》演讲稿,嘱邓慕韩以《手校稿》为准进行校勘。邓于十月派从弟伯鼎等四人配备武装,前赴南海县石涌乡,乘深夜将《手校稿》潜运到三水县芦苞镇李洲村。邓即从事校勘,费时近半年乃告蒇事。

1943年2月,日军攻陷芦苞镇,三水县政府迁至该县北部山区的蒲坑村,邓慕韩携稿随往。国民党中央鉴于战时损失堪虞,嘱将《手校稿》移交中央党史会保管,并于八月初特派科长沈裕民到蒲坑,与邓将《手校稿》护送到韶关。当时七战区司令通令沿途军政机关妥为保护,到达后,战区司令余汉谋曾与邓、沈二人捧着《手校稿》拍照留念。是月下旬,邓、沈携稿离韶,经衡阳到桂林,乘机抵重庆,妥善交到国民党中央党史会。

马小进轶事

麦汉兴

1945 年冬,曲江失陷。广州大学中国文学系主任马小进先生,随带书籍衣服与妻儿避居静村农舍。余亦随侍左右。约半月光景,曲江组成伪政府,马师一族侄当了汉奸,得知小进先生静村地址后,亲自来访。扣门时,余方与马师闷坐,正商量出走之计,忽闻门外有人高呼:"小进二叔!"师问之,知为马某,师即登榻拥衾佯作呻吟,余乃开门迎入。马坐下,备述来意,盖一欲马师出山任伪职,二欲请代拟安民告示。马师听后,故作低声喘气,漫应曰:"连日卧病,又无医药,麦生适来问病耳。"便纳头再睡,若不堪者。马坐片刻,见无反响,于是放下若干军票,并谓望早日求医,待病好后,当再来也。遂出。

马某走后,师即起床,曰:"借不肖之资以成行,天助我也。"乃相约明日入市售其多余衣服,又增盘费。在路边摆摊时,小进师口占七绝云:"头颅尚在疑非我,口舌徒劳未救饥。此际始知贫困味,路边忍卖劫余衣。"及回寓,师曰:"可以行矣。"余以筹措不及,未能与俱。师示余曰:"士可死不可辱。饿死事小,失节事大,汝其凛之。"又曰:"不速行,恐马某再来,则窘矣!"遂别。

绿川英子在广州

李益三

日本世界语学者，反战人士绿川英子是我国留日学生刘仁的夫人。1937年4月逃离日本，夫妻俩经香港回到广州参加抗日工作。登岸时，便受到盘问，经刘仁出示在国内工作的证件，才得以开脱。

他俩住进了珠光路琼崖会馆，这是广州青年学生抗日救亡运动的据点。由于她的举止容貌和走路的姿态总是带着浓厚的日本人特征，常因引人注目而使她感到不安。1938年2月间，她在广州国际协会主持世界语的国际宣传工作。不久被宪兵发觉，查证她是日本人，即以“敌国国民，有间谍之嫌”为由，递解出境，自此，他俩流浪香港。同年六月间，始得郭沫若介绍，到武汉国民党国际宣传处，主持对日广播工作，为中国人民反侵略战争事业作出了贡献。绿川英子一生爱和平反侵略的精神，也深受日本人民的赞颂。

陈寅恪瞽目著书

葛建平

陈寅恪是当代史学大师，抗战时期乱离中病目，多方投医，终不得治而失明。曾作诗悲苦自叹："去年病目实已死，号虽为人与鬼同。"又："鬼乡人世两伤情，万苦书虫有叹声。泪眼已枯心已碎，莫将文字误他生。"诵之令人凄然。

新中国成立，陈寅恪执教岭南大学(后为中山大学)历史系。晚年得有十余年安定的治学环境，专心著述。虽自号"文盲叟"，但仍乐观。其间为诗曰："扶病披寻强不休，灯前坐对读书楼。余年若可长如此，何物人间更欲求。"1950 年首倡诗文证史的专著《元白诗笺证稿》问世。其后，《论再生缘》出版。自 1954 年至 1964 年，陈寅恪在六十五至七十五岁的高龄，又穷十年精力，专注于"钱柳姻缘释证"，终成八十万字的《柳如是别传》。该书以钱谦益、柳如是诗文为基础，考释笺证，借此反映明清之际社会、政治状况，遂成以诗文考证一代史事之典范。仅其中旁征博引的典籍，据统计就达六百种以上。引书内容涉及汉唐明清、儒法道释、人事花果、经史子集。此巨著之撰作，足见其倾注于史学研究中数倍于常人的毅力和心智。据当时任助手的黄萱先生忆及，十年间，陈翁的研究工作如是进行：日常上午助手协助工作，由陈老指点特定史料章节段落，助手据之找出为之念读，下午陈则独自对史料进行沉思综合，翌晨口述初稿，由助手笔录成文，录毕时作修正。常常早上助手刚到，陈寅恪便急于吩咐录下思虑已久的内容。他说："晚上想到的问题，若不快点交代出来，记在脑子里是很辛苦的。""人家以为我清闲得很，怎知道我是日日夜夜在想问题，做研究工作的。"他的诗句"然脂瞑写费搜寻"，即是这种潜心研究生活的写照。

《柳如是别传》写成，陈寅恪自言书之缘起仅为"温旧梦，寄遐思"。以偿二十余年之夙愿，并自谦为"自验所学之深浅"。然通篇巨构宏论，实可视为其一生研史之代表力作。而陈寅恪以失明的晚年，不惮辛苦，经之营之，钩稽沉隐，以成此稿。其坚毅之精神，真有惊天地泣鬼神的气概。

陈公博的天堂地狱论

黄穗生

陈公博，广东乳源人，1920年夏毕业于北京大学，随后回广州创办《广东群报》，宣传新文化和社会主义思想。陈才思敏捷，其文章精炼流畅,口才亦佳,讲话极具吸引力,且善交际,结交朋友众多。1921年3月,陈公博与陈独秀、谭平山、谭植棠等人组建广州共产党小组,同年7月代表广州共产党小组参加中国共产党第一次全国代表大会。

陈公博虽为中共最早的成员之一,然而生活上却极讲究享受,吃喝玩乐无所不好。只要手中有几个钱,便拉同学、朋友下棋、打球,一盘接着一盘,常至半夜始罢手。其穿戴也颇为讲究,追求款式新颖,衣裤鞋帽等均要用料上乘,手工精细。他常对人说:"有钱就要享受,今朝有酒今朝醉,有这样的条件,放过去岂不可惜?"

中共"一大"后,中共广东支部曾推举他到莫斯科学习,但他知道那里国内战争刚结束,各方面都很困难,生活相当艰苦,一口拒绝,而积极为赴美留学进行活动。

参加《广东群报》编辑工作的谭天度,因工作关系,与陈公博交往较多。1921年春,陈独秀在广州高第街素波巷开办"宣传员养成所,"委陈公博任所长。谭天度为该所教员,住在所里,与陈过从更密。出于好意,谭天度劝陈不要过分追求享乐,但陈不以为然,他说:"每一个人一生都是这样:有半世在天堂,半世在地狱,先进天堂的后下地狱,先入地狱的后上天堂。每个人都可以自由选择,我是选择先进天堂。"

一个真正的革命者应"先天下之忧而忧,后天下之乐而乐",怎能只顾个人进"天堂"而不管当时大多数人还在“地狱”？谭天度听了陈公博那么一席话，即决定与他分道扬镳。

1922 年，陈公博由国民党出钱，到美国去留学，1925 年回国后即脱离中共参加了国民党，抗日战争时期成为中国大汉奸。抗战胜利后被处决于苏州狮子口监狱。他享尽了“天堂”之乐，而后终于进了“地狱”。

于右任的一首佚诗

龙潜庵

国民党元老于右任是一位著名诗人，近年来，台湾、大陆都先后出过他的诗集。但他的另一首诗，台湾、大陆两本都未见收载，兹忆录如下：

游尚父湖作

尚父湖波荡夕阳，征诛渔钓两难忘。
穷羞白发为文士，老羡黄泉作国殇。
败叶层层迷去路，横舟缓缓适何方？
桂枝如雪枫如血，猛忆关西旧战场！

尚父湖即今江苏常熟市的尚湖，据说姜尚

(太公)曾在这里垂钓而得名。这首诗是于老在秋日泛舟游湖有感而作。到了尚父湖,就想起了当年在这里垂钓，后来佐周武王诛伐殷纣的姜尚,跟着就联想到自己,当年参加革命,立过汗马功劳,如果当年为国捐躯(作国殇),不是更光荣、更有意义吗?"败叶"两句,是看见国家政局混乱,国事日非,自己也感到前途茫茫,不知如何归止了。时值秋令,看见"枫如血",使老人家猛忆起自己壮年在陕西一带统率革命健儿,血战沙场的情景,"壮岁旌旗拥万夫"，何等英雄,而今老了,真是不堪回首了!

这首诗,于老以游尚父湖为题,从姜尚的经历,想到自己和国家的前途,悲慨之情,跃然纸上,读之令人三叹。这诗写作于 1927 年 11 月,是于老诗中充满爱国激情的佳篇。

这首诗的手迹,原藏在广州龙国彝家,今又四十年,难寻下落了。

于右任、胡汉民赠我的诗

邓长虹

1932 年初,陈济棠踞粤时,广州西南政务委员会,与南京政府形成对立局势。是年初,南京政府派监察院长于右任视察广州。我当时是总司令部的上校宣传科长,陈济棠派我招待他,陪

同游览名胜。时值仲春,至越秀山镇海楼时,于老见木棉盛开,触动心事,乃赋七绝一首:“越秀山前花乱飞,春深游客转思归。参天多少英雄树,万户啼寒未有衣。”并书赠我。诗中语涉讥讽,颇有衣被何曾及困穷之概。

1931年南京方面扣留胡汉民于汤山,胡于十月获释后,寓居香港。是年,陈济棠命我赴港慰问他,胡即兴赠我诗条一幅,诗曰:“呼风百计寂无闻,落日谁怜著翅奔。避地独游心不忍,要提天下上昆仑。”当时胡的心事于诗中可见一斑。

麦朝枢诗赠张发奎

何崇校

麦朝枢,广东台山人,早期北京大学文学系毕业的文学士。青年时代思想进步,北伐战争时曾任第四军张发奎师的政治部主任,二人十分相得。抗日战争中,张发奎任第四战区司令长官,仍请麦相助,担任长官部的秘书长。当时张的重要文告多出于麦的手笔。

麦朝枢曾暗劝张发奎要明于大势,向民主势力靠拢。张未予首肯。是年十一月,麦因事赴南京,旋赴杭州小憩,尚驰书张发奎请珍惜时机。某日,麦一人在孤山下“楼外楼”小酌,有感,赋七律一首赠张。诗曰：

九州南望尽秦封，
岭外烟波几万重。
空有陆生回驽马，
何曾刘季是真龙。
高楼大纛千章树，
明月梅花一笛风。
把酒徘徊天亦醉，
四山无语送飞鸿。

可是张发奎因五次反蒋，蒋都予包容，反而屡委重任，不忍相背，因此，这首诗也就没有起到什么作用了。

陈少白祭未婚妻文

陈友潮

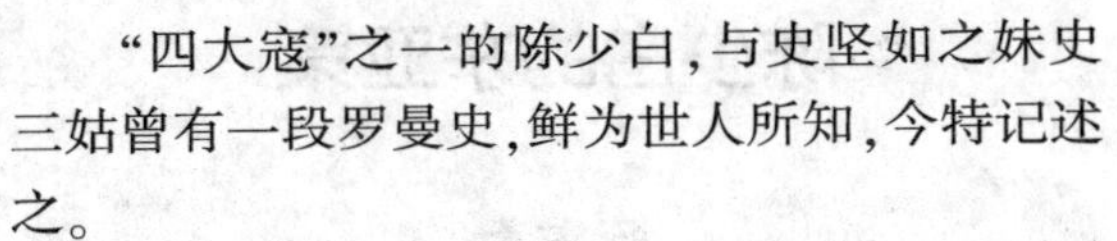

“四大寇”之一的陈少白，与史坚如之妹史三姑曾有一段罗曼史，鲜为世人所知，今特记述之。

陈少白(1869—1934)，广东新会人，原名闻韶，号夔石。1888年就读广州格致书院，1890年初，由区凤墀介绍到香港找孙中山，时孙在香港西医书院读书，遂推荐陈少白也入该院学习，两人由同窗学友而成刎颈之交。1895年，陈参加兴中会，并参与筹划广州起义，事败，出走日本。

1899年,奉孙中山之命至香港筹办《中国日报》,并于次年1月创刊。史坚如也于1899年加入兴中会,由于这一关系,陈少白认识史坚如之妹史三姑。时三姑年十八岁,正值情窦初开,就读于南华医学堂。她深佩少白之才识,而少白也为三姑之品貌所动,由热恋而订下婚约。

1902年,史三姑因饮冷牛奶,得霍乱病不治而香销玉殒,时年仅二十二岁。陈少白得讯,无限悲怆,遂亲撰墓铭勒石。文曰:

> 雄心脉脉,寒碑三尺。后死须眉,尔茔尔宅。国人欲复,哲人不归。吾族所悲,异族所期。玉已含山,海难为水。蹇蹇此躬,悠悠知己。天苍兮地黄,春露兮秋霜。胡虏兮未灭,何以慰吾之国殇。生于1881年辛巳,终于1902年壬寅,共享年二十二。

情辞悱恻而不消沉,借祭未婚妻文而为反清革命之钟鼓,实亦前所未闻也。

陈少白的东亚策

陈占勤

陈少白多才多艺,诗词歌赋,琴棋书画,无所不通。为弘扬孙中山革命思想,他发表过不少的政论文。最近发现少白早在1897年流亡日本时,在《东亚学会杂志》第七号发表的一篇反帝反封建政论《东亚联合要旨》。他分析东亚诸国形势："亚洲之大，几无完国。"原因是欧洲各帝国"凌轹东国"，恣意攻取掠夺，如待奴隶；同时由于"我亚之聪明蔽塞于暴君贼臣之政"，"满清君相委靡而少仁，官府贪残而无耻"，故"今日我亚最后之望者，惟有联吾洲之民心而已"。主张"通言语，通文字，达到通亚民之情，共持大局，对抗欧洲之帝国。"日本人门协氏评论其东亚策为言语中肯，议论精辟，高瞻远瞩，陈少白亦可谓一奇男子矣。

章太炎、陈炯明挽孙中山联

龙谏孙

孙中山先生于 1925 年 3 月 12 日病逝北京。公祭之日，各方挽联无虑千百，但最为人所传诵的则是章炳麟（太炎）与陈炯明那两副挽联。

章太炎联云：

孙郎使天下三分，当魏德萌芽，江表岂曾忘袭许？

南国是吾家旧物，怨灵修浩荡，武关无故入盟秦！

上联言孙中山组织南方政府，与北京政府抗衡，并决心北伐。故借用三国故事，"孙郎"指

在江东建立吴国的孙策，借指孙中山。“魏德”，指曹操，借指袁世凯。曹操尝迎汉献帝迁都许县(今河南许昌)，挟天子以令诸侯。“魏德萌芽”，借指袁世凯篡夺革命成果。“袭许”用孙策思袭许昌事，借指南方政府拟讨伐袁世凯。下联指孙中山应邀北上，与北京政府共商国是，病死北京。意谓孙既准备北伐，北上事实徒费心力。盖当时有人认为孙抱病北上，加以忧愤而促其死。故联中用战国时楚怀王应秦昭王约，会盟于武关(今陕西商南)，被执，客死于秦事。语虽偏激，实有深意。《离骚》：“怨灵修之浩荡兮”。原指楚怀王欠思虑，此借用。

陈炯明联云：

惟英雄能救人杀人，功首罪魁，留得千秋青史载；

与故交曾一战再战，私情公谊，全凭一寸赤心知。

陈炯明原主粤军，尝佐孙中山先生在广州建立革命政府，孙中山委以重任，是孙中山的得力助手。但当孙中山决定北伐时，陈却阳奉阴违，实不从命，并发展到武力抗拒，炮击总统府，率部盘踞东江一带。故北伐时，先要东征讨陈。以陈炯明与孙中山这样的特殊关系来写挽联，是颇难措辞的。联中不讳为友为敌的历史事实，用“千秋青史载”、“一片赤心知”为辞，既不自辩，又不自责，不愧为一名秀才。

挽潘达微的几首名联

潘国华

先父潘达微，早年参加同盟会，支持“三二九”广州起义。起义失败后，先父目睹死难烈士遗骸堆放在东门咨议局前旷地，无人敢于殓葬，于是挺身而出，向各善堂呼吁求助，殓葬七十二烈士遗骸于红花岗(后改名黄花岗)。此举得到革命党人和民众的赞颂。1929年先父病逝时，中外知名人士送来挽联、诔文无数，就连远在东北的张学良将军也送来了一副挽联。

张学良联云：

鲸海播嘉名，遥跂英魂荐丹荔；
孤邱标卓谊，共钦先烈葬黄花。

此外，还有几位名人的挽联摘录如下：

胡汉民联云：

只有于陵足称士；
不堪绵上始论功。

孙科联云：

碧血犹热，黄花吐芬，万代千龄悲壮士；
行心所安，杀身无悔，高风亮节见生平。

冯自由联云：

豺狼当道，竖子成名，可叹老成遽凋谢；
狐赵贪功，介推不禄，忍看民庶日颠连。

胡汉民和冯自由皆以“介之推”比先父，用意是深长的。

镇海楼名联话旧

陈叔垣

自古名建筑物多因有名联而相得益彰。由于年代久远，不少名楼已圮，而名联却传于后世。而广州越秀山之镇海楼(又称五层楼)，至今犹岿然屹立，但原有两幅名联早已遗失。该楼旧有晚清彭玉麟所撰楹联，意境极为开阔：

万千劫危楼尚存，问谁摘斗摩星，目空今古；

五百年故侯安在，顾我倚栏看剑，泪洒英雄。

此联为木雕，字体雄劲，下款署“宫保雪琴彭玉麟”，分东西向悬挂于三楼。抗战后此联与原有粤督瑞麟所书“镇海楼”三个大字的匾额均不复见。后来“镇海楼”三字再由叶恭绰补写(后又铲去)。至今五层楼的匾额和对联，都是广州市文史馆馆员隶书名家吴子复先生所书，虽属佳作，不过已非此楼原物了。

五层楼的大门旧日尚有一联：

五岭北来，珠海最宜明月夜；

层楼晚望，白云依旧汉时秋。

此联为胡汉民所撰书，把“五层楼”三字用鹤顶格分嵌于联首，颇称妙构。但这联今也不复存在了。

广州最早出版的《伊索寓言》

陈华新

日本东京上野图书馆藏有一部1840年在广州出版的《意拾蒙引》，在国内早已见不到了。这是一本什么样的书呢？原来，“意拾”是“伊索”(Aesop)的对音异译，《意拾蒙引》即《伊索寓言》的旧译。

这本书是一位英国人罗伯聃(Robert Thom)编译的。他于1840年在广州的报上陆续发表了《意拾喻言》八十二例，后来结集出版，称《意拾蒙引》。按罗伯聃于1834年来中国，曾任英国领事官，他还编有《汉英字汇》等书，对中英文化交流做过一些工作。

《意拾蒙引》比林纾编译于1906年出版的《伊索寓言》早五十多年。但为什么国内会失传呢？据说该书出版后，在广东曾风行一时，大家都津津乐道，街衢之上，闾里之间，争相传阅。时值鸦片战争爆发，林则徐受投降派诬陷而革职，琦善到广州一反林则徐所为，人们便以“意拾”(伊索)寓言中的隽言妙语，或刺当道，或讥胥吏,结果这本书就遭到封禁,不许流传,于是在国内也就绝版了。

广东人学官话的专著《正音咀华》

杨柳岸

俗语说:“天不怕,地不怕,最怕广东人讲官话。”官话,是指明代以来形成的通行较广的北方话,特别是北京话。它一直是官场办事交际的语言,故称官话。官话是普通话的基础方言,而广东方言由于与官话的语音相差较大,这样,广东人说起官话来,就很不容易,甚至闹出笑话。所以说:“最怕广东人讲官话。”

为了便于广东人在科场、官场交际,必须学习官话,清末就有人编了一本专著,名《正音咀华》。我曾见到的是白绵纸本,木刻,朱墨套印。内容都是有关科场、官场应酬交际语,用会话的形式表达,注重实用,是颇具特色的一本书。

书中正文大字墨印,正文之旁,则注粤音小字朱印。例如正文是:“近来诗兴好吗?”在“近”字旁,朱印一小“贱”字(即指“近”的官话读音应读粤音的“贱”,余仿此),“兴”字旁注“线”字,“好”字旁注“考”字等等。官话与粤音相同或相近的则不注。

这样的旁注粤音的方式方法，在今天看起来，是不尽完善，不尽合理的。但在注音字母未出现以前，汉字的注音基本上只有直音和反切两种方法，旁注粤音正是参考直音法作注的。因此，这本书在当时对广东人学习官话，还是起到一定的作用的。

我在童稚时见过这本书，数十年来，在旧书店里也从未再见过。曾查孙殿起的《贩书偶记》、《贩书偶记续编》，均未见记载。近年出版的《中国语言学大辞典》，著录语言学书籍一千多种，亦未收载。可能此书只是清末在广东地区流通，早已失佚了。

康有为与邱氏书院

陈友潮

康有为于广州讲学，四迁其址。初，光绪十六年(1890年)于广州大塘街“云衢书屋”。翌年迁于长兴里邱氏书院。此书院为广东省增城邱姓族人集资兴建，倡建人为增城举人邱觉黉，花了二千两白银向彭家公馆买来这块地皮。1804年动工，建成于1806年，耗资四、五万两，建筑面积一千多平方米。康氏在此讲学时，包租书院东面二楼一部分，学生也住在那里。时称“长兴学舍”。康氏后来追忆说：1891年“始开学堂于长兴里讲业，著《长兴学纪》以为学规，与诸子日夕讲业，大发求仁之义，而讲中外之故，救中国之法。”（见《康南海自编年谱》）当时慕名而来学者，除了原来的陈千秋、梁启超外，尚有韩文举、梁朝杰、曹泰、王觉任、麦孟华、徐勤等。

1892年由于慕名求学者众，遂迁往卫边街。1893年冬，复迁广府学宫仰高祠，并正式挂起“万木草堂”匾额。据此，则“万木草堂”之遗址，当为仰高祠。

笔者经过多次调查，康有为讲学的其余三址均荡然无存，仅存邱氏书院，可是也成了某制锁厂的工场，面目全非了。

万木草堂之得名

陈华新

光绪中叶，康有为在广州创办万木草堂，成为后来新式学校之滥觞，于近代教育史地位之重要，兹不待言。惟万木草堂之得名，仍有待探究。盖校舍在内街，虽有树三数株，而非“万木”也。钟贤培教授在《康有为思想研究》中，论及万木草堂之得名云：“学堂的命名寓有培植万木，为国栋梁之意。”按此为引申之义，未得其源也。

笔者偶读李肖聃《星庐笔记》一则云：“有为讲学西樵山，梁（鼎芬）往访之，赋诗以赠，有‘万木森森一草堂’之句，康取以名其学馆。”按梁鼎芬为广东番禺人,张之洞督粤时,曾主持广雅书院。康有为于光绪五年(1879年)在西樵山白云洞读书讲学,梁诗中即咏其讲舍,故有"万木森森"语,《笔记》云云,可信也。

张元济先生《追述戊戌政变杂咏》诗:"南州讲学开新派,万木森森一草堂,谁识书生能报国,晚清人物数康梁。"亦借用梁鼎芬诗句,可参证。

梁鼎芬为何辞去广雅书院院长

张 至

梁鼎芬是广雅书院首任院长,但到任仅一年就辞职了,为什么?

广雅书院是张之洞一手创办的,是清政府洋务运动"中学为体,西学为用"的具体实践,张之洞寄予莫大希望。为"创建两广诸生合课书院,以砺士品而储人才"(张之洞语),他不辞劳苦,亲自勘察并选择了广州市城西五里源头乡为院址。此地山川秀杰,风土清旷,面积一百二十四亩。筹拨白银十三万八千八百六十六两后,破土兴建。又苦心孤诣,设计书院整套布局蓝图,提出"延聘品行谨严,学术端正之通儒以为主讲"。可见张之洞聘梁鼎芬任院长,并非贸然从事,而梁之应聘,对广雅来说,是堪称得人的。

梁鼎芬(1859—1919)番禺人,少受业菊坡精舍,是陈澧兰甫先生高弟,十八岁中举人,二十岁中进士,授翰林院编修。学问造诣颇深,为张之洞赏识。光绪十年(1884),中法之役,北洋大臣李鸿章的妥协政策,激怒了朝野有识之士。梁鼎芬不惧权贵,不避斧钺,慷慨陈词,上疏弹劾李鸿章“骄横奸恣,罪恶昭彰,有可杀之罪六”。但这一奏疏被军机大臣斥为诬蔑,降五级留用。他受到处分,乞假归粤,有“多病光阴负罪身,天恩今许作闲人”之句。归粤后,张之洞聘为幕僚,任广雅书院院长。

广雅书院于光绪十四年(1888)六月初四落成开学。梁鼎芬到任后,鞠躬尽瘁,克尽厥职,亲自主讲功课,巡视斋舍,批阅学生日记,每有问难,必亲批答,师生情谊日笃。正当大有可为时,1889年7月,清廷调张之洞任湖广总督,以李瀚章任两广总督,而李瀚章则是梁鼎芬弹劾过的李鸿章的亲兄。正是冤家路窄,梁不愿与这样的人共事。这就是仅任职一年的梁院长,毅然辞职的主要原因。

梁鼎芬在他宅中有自撰联云:“三间破屋长相对,一代完人不易为。”对一生周折,感慨系之。

梁漱溟在广雅中学实行教改

曹思彬

梁漱溟(1893—1988)又名焕鼎,祖籍广西桂林,生于北京。早岁即为蔡元培所器重,聘请他到北京大学讲印度哲学。梁氏是著名教育家、乡村建设运动者,主张在中国广大农村兴办教育,以恢复固有的中国"民族精神"。著作有《乡村建设理论》、《东西文化及其哲学》、《梁漱溟教育论文集》等。他的著作在当时国内有很大的影响。

1927年,梁漱溟到了广州,出任中国国民党广东政治分会建设委员会的代主席,提出开办乡治讲习所建议案,未得实行。第二年,他兼任广雅中学校长。当时广雅中学称为广东省立第一中学。梁漱溟为了试行他的改革方案,因而又改名为省实验中学。上任后,锐意改革。在体制方面,实行导师制,每班设一名专任导师,负责该班学生的思想、学习、言行和生活的管理和指导。在教学上,主张用"积极的学习代替被动的坐着听讲"。同时,学生可以参加校务管理。在生活上,学生执行自己制定的规章制度,还与教师共同制定公约、共同遵守。又增设科学馆,重视实验与课堂教学相结合。所有这些,都体现梁漱溟教学改革的精神。

后于1929年,梁漱溟到河南辉县百泉村创办河南村治学院,因而离开广州。

陈述叔在中山大学

曹其华

新会陈洵(1871—1942),字述叔,是近代广东名词人。他和当时顺德诗人黄节(晦闻)有"黄诗陈词"之称,蜚声词坛。著有《海绡词》、《海绡说词》等行世。1929年起执教广州中山大学,月薪四百元光洋,每周授课二节,可谓优渥之至。

陈洵的受聘中大,还经过一段"徐庶荐诸葛"的故事:当时中山大学校长朱家骅,为了物色词学良师,曾走马大江南北。在上海,拟敦聘朱祖谋南下任教,朱说:"广东自有人材,新会词人陈述叔毕生授徒,无愧硕学良师,何必舍近图远呢?"朱家骅遂南归,访述叔,继而敦聘之。黄节《海绡词序》:"述叔穷老授徒,微彊村(朱祖谋)其谁知述叔者。"足为印证。

述叔秉性孤僻,不随流俗,应聘之初,声明不参加当时所谓纪念周一类活动,也不进大礼堂(孙中山在此演讲《三民主义》的惟一大礼堂)。中大求贤若渴,概予允诺。

中山大学把陈述叔所授的词学,列为文学

院各系的必修或选修科。至于慕名旁听的学生，几乎遍及理、工、法各院系，影响之深，前所未有。他教学有方，积中岁以来的丰富经验深入浅出，引人入胜。除详细讲解词的格律、结构和艺术表现等要素外，还教授如何阅读和赏析一阕好词，传授填词的诀窍等等，娓娓动听，所以引来听众日益增多。尽管校方破例每次印发讲义都多达数百份，仍有许多人有向隅之叹。课室虽选择最大的一间，仍远远不能容纳。课前十分钟就已座无虚席，连窗台、走廊，都挤得水泄不通。这样的听课热，在中大是空前的。甚至有人提出："既然课室容不下这么多人，何不去大礼堂呢？"足见群众仰望之殷。

我当时是中大工科学生，但每有陈老的课，必抽空旁听，虽事越六十年，今犹记其仿佛。

蒋经国的"儿童新村"一瞥

李小松

1943年5月，我们在韶关从事儿童教育工作的七位同仁，应当时的赣州专员公署专员蒋经国先生及其夫人蒋方良之邀，前往"新赣南"参加他们的"儿童新村"开幕典礼。我们乘燃烧木炭的汽车出发，经两日行程，抵达赣州，住在一平房式招待所。由一余科长接待，不分等级，正餐例为四菜一汤,早餐为豆浆、油条、馒头。第二天,余科长带领我们徒步游览市容。第三日晨,余科长又领我们穿街过巷,至市郊,即见“儿童新村”所在,地颇广袤。有三四条大马路,小警察穿制服,指挥交通。“儿童邮局”、“儿童银行”等,都由儿童主其事。有儿童宿舍平房六大座,前有花圃。旋入一长方形礼堂,礼堂设施颇特别,地下的中座、后座均设长条木椅,前面座却空着,正面则为梯级小楼,低矮得很。开大会时,蒋先生夫妇及有关人员坐小楼上,面对楼下中、后座观众。由于相距不远,得瞻蒋先生风采。其夫人温文尔雅,谈笑风生。礼堂两壁,均有“德智体美”四个大字。

大会开始,并无起立奏乐之类。只见蒋先生以其沉雄而略带沙哑之声,讲了约二十分钟的话,大旨以为“新村”之设,为培养儿童有独立生活的能力,长大后能独立工作,实行手脑并用之意。话完,即闭幕,亦无文娱节目及茶会之设,简单得无以复加,人们也就纷纷离座,各散东西,并无车水马龙,衣香鬓影的风景线。此亦一“新”也。

客馆无聊,乃细阅送来的《新赣南家训》,类为劝善勤工之意。闻曾榜之于通衢及四乡,凡能更易一字者,给予奖赏,以此能使妇孺皆知罢了。连日复知许多关于蒋先生传奇的新闻旧事,留赣数天而返。

抗战胜利后,我回到广州,仍从事广东儿童

教育工作。蒋先生儿童新村的设施及以儿童为主体的导向,对后来工作有启发和推动作用。

罕见的敬师风

龙劲风

1930年春,我到广州附近叫莲湖庄的一个小村教书。这个村的保国民学校仅有学生三十多人,教师只有我一个。校舍是一间小祠堂,设有炉灶,供老师自理伙食之用。我初来乍到,一切生活感到有些忙乱,正想去购买柴米油盐,准备明天做饭,忽有一位学生家长来对我说:"先生,你一个月也不用开爨,每天都有学生家长来请你吃饭的。"我半信半疑,到了第二天一早,果然有一位学生家长用竹篮带了一壶香茶,几碟点心来到学校,恭恭敬敬地摆在桌上,请我吃早点,家长作陪。到九点多钟,又带来了饭菜,又鱼又肉,十分丰盛。中午又是一顿茶点,下午五点多钟又是一顿晚饭。这样,各家轮流,各请一天,请我吃了一个多月。之后,每天仍有早点午点送来,而且不止一家,使我"穷于应付"。

到了端午节,每个学生都送我几只粽子;中秋节,每个学生又送我四个月饼。我心愁这样大堆东西如何消受得完的时候,家长们派了一个人,把这些东西挑到我离校十多里的家里去。

到了春节，学生家长又带同他们的子弟到我家拜年，又送了许多土产礼物。

家长们凡有喜庆，都借用学校摆酒，学校放假一天，老师照例成为首席嘉宾。

我在这间学校教了两年。离开之后，学生还时常来探望，土产礼物仍然源源不断，表示学生不忘老师的心意。

当时，这里一带乡村都有这样的敬师风习。

广东国画研究会始末

黄金海

1920年间，广州画人赵浩公、黄少梅、潘至中三人，日常在城隍庙内的寰乐园品茶论艺，因而共同提倡发扬国粹，联合十余人，发起建立国画研究会。时六榕寺主持铁禅和尚与书画界过从甚密，因而将寺内人月堂借为会址，命名广东国画研究会，设营业部一人、司账一人。陆续参加的会员约二百人。翌年开会，投票选举执委会，我当时二十三岁，被选分任文牍工作。此后每于星期日，跟随诸前辈，如赵浩公、黄少梅、李凤廷、潘至中、姚粟若、冯缃碧、黄君璧、卢子枢、邓尔雅、罗艮斋等人,常常即席挥毫,或合作,或题咏,其乐融融。画成即悬挂起,一律定价,小条幅五元,扇面二元,供游客选购。间或由会员出藏品互相观摩,共同品评。傍晚时候,作者三数人或联同就近晚膳。江浙画家黄宾虹、余绍宋到广州,画会敦请到会演讲。市美校长李研山亦为座上客,席间常发表书画高论,相与谈艺甚乐。约在翌年,以会员作品作常设展览,并出版画集。

后来画会经济紧绌,承南海、番禺两县政府每月各补助经费五十元。纸张、笔墨均由三多轩负责优惠供应。

至 1923 年,赵浩公等以会员水平不一,遂与潘至中、卢振寰、卢观海、黄少梅、黄般若、黄君璧、何冠五、姚粟若、李耀屏、卢子枢、冯缃碧、邓芬等,另组织以当年干支命名的癸亥合作社,随后开展览会。

至此广州就有两个国画会之设,其中有人两会都参加的。

广东国画研究会始末经过情况,就我所知仅如上述。距今将届七十年,诸老辈多归道山,现时健在者只有我与黄君璧二人了。

广州美术馆藏《法器图》忆述

麦汉兴

国画取材，可谓多矣。诸如山水人物、花鸟虫鱼、仙佛鬼怪、木石文玩，乃属常见；但以喃呒先生的“铃铃”“镲镲”，即所谓“法器”入画，则属罕见。年前，余于广州美术馆得重见该馆所藏高奇峰等人合绘之《法器图》，因而忆及六十多年前一则画坛趣事：

民国十五年(1926)初，广州河南的黄质文、陆如初、易石公、汤秉忠、苏世杰等一批知名人士，发起将海幢寺改建为河南公园(后正式定名海幢公园)。为了筹款，乃于当时海幢寺的后山，即今南武中学南面之乌龙岗，盖搭彩棚，举办河南各界联欢大会。场内分设各种物品展销，音乐、戏曲、武艺、杂技等游艺活动和民间小食供售，以及书画即席挥毫。并组织僧、道、尼为捐资之善男信女举行“大放三宝、超度亡灵”。故有人说“各界联欢，人神共庆”，一连数日，可称盛事。

某日，有楞园居士在此“放三宝”，而楞园同仁又素与书画界来往较密，此际同聚一堂，自然谈笑甚欢。因有人提议：何不以“法器”入画，作为即兴之纪念。于是一致赞成，遂由胡剑庵自告奋勇，首先挥毫画出“真言”(即铃铃)，继由黄鼎萍写铛铛，崔鸣周绘擦钹（即镲镲），麦汉永插上引磬，麦公敏补上木鱼。当时在场者认为过于疏散，乃由甘卓峰以大鼓连串，并由李寿庵缀鼓椎、铛击，使之疏密有致，最后高奇峰再画上手炉，并于上方题志。八人合绘，至此图成。众皆称善，谓此图奇而有趣，杂而不碎，色多不俗，可认为得意之作，不宜出售，应由楞园诸公妥善保存，以留永念。于是众议交崔鸣周收存。无何，因崔鸣周制造伪钞案发，家产全被抄没。此画亦随之流出，不知去向。而今得归广州美术馆收藏，可谓幸甚！

时光匆匆，六十余年。当日余尚年少，尚无资格命笔挥毫，但亦曾在场换水研墨。故看图忆及当时情景，尚如在目前也。

受宠的“唐马”

龚伯洪

20世纪二三十年代，广州一些画家常爱临摹古画，以能乱真为贵。一天，卢振寰、赵浩公和李凤公在广州文德南路某裱画店，偶然见到一张唐代衬画底纸，竟然保存完好，灵机一动，便以二百元将它买下。继而合作琢磨，模仿唐人画技，在这张纸上绘上一马，精裱后放在画店寄售。画一挂出，即有一香港画商以为是唐朝马画

真迹，以二千元买下，卢等三人乐不可支，相约店主一道上福来居茶楼，举杯相庆。

港商返港后，那幅“唐马”很快又被一美国画商以两万元得手。不久，美国某博物馆又以二十万美元高价将此画购走，并置于馆内展出。

碰巧卢振寰的一位移居美洲的朋友见到博物馆展出的“唐马”，拍回照片寄卢振寰，信中对唐代真品流失国外表示惋惜。卢于是相约赵浩公、李凤公再到“福寿居”聚会，捧腹之余，席间回书那位朋友，道破天机，并语带诙谐说：“画纸是唐代真品，画家却还在饮酒作乐呢。”

黄少强写民间疾苦

孔昭皋

岭南人物画家黄少强（1900—1942），为高奇峰入室弟子，与赵少昂、叶少秉、鲍少游有“岭南四少”之誉。少强盛年，正值国家多难，他的绘画题材就以“谱国家之悲愁，写民间之疾苦”（《少强画集》自序）为主。他的《述怀》诗有“弹指岁华三十六，国仇未报愤难蠲”，“艺术之宫曾未恋，民艰描写已多时”等句，这也正是他的心声。

九·一八事变，东北沦陷，他十分悲愤，写了一幅《梵宫纸马图》，并题诗云：“两眼伤时泪满痕，未应披发遁空门。何当一策千金马，鸭绿江头起国魂。”

1932年，淞沪战起，不少人拖男带女，颠沛流离，他就写了一幅《仓皇出走图》，题诗云：“仓皇弱质逐风尘，恸哭何堪白发亲。回首春申江上望，别无家矣国几沦！”并跋云：“廿一年三月，淞沪遇难，国人南来，惨象万千，此其一耳。画以志痛！”为了支援十九路军淞沪抗敌，1932年春间，广州艺术界举行国难共济书画展览，作者数百人，展品逾千。黄少强的《洪水图》，竟卖得二千元，破全场展品最高价纪录。少强悉数捐出，支援抗日。

少强喜旅游，历湘、桂、鲁、燕、晋等地。足迹所至，采风问俗，特留意于民间疾苦，写入画图。他的画先后参加全国画展，伦敦、柏林中国画展，比利时万国博览会等，论者比之于宋郑侠《流民图》，赞誉备至。他曾刊有以民间疾苦为题材的专集，名《止庐民间疾苦图》。1934年间，他创作《民间疾苦》四连屏，许多人争购，他一一婉却，将画献给政府，藏中央图书馆。他的《述怀》诗有“京华憔悴素心孤，曾献民间疾苦图”，即指其事。

广州檀度庵尼溶傅

杨 薇

广州小北旧有檀度庵，香火极盛，为广州知名的庵堂。三十年代，庵中有妙尼谈月色，名郷，字古溶，又号溶溶，人称溶傅，顺德人。秀外慧中，善梵音，娴书画。所书经文，字体娟秀，才女也。

于时有名士蔡哲夫，名守，号寒琼，亦顺德人。多才多艺，诗书画而外，金石、考据、篆刻，无不精通。入南社，结交柳亚子、胡汉民、于右任、梁启超、黄宾虹、苏曼殊等，一时缙绅士夫，莫不知有蔡名士其人。一日，蔡偶至檀度庵随喜，遇月色，见其书画秀雅，奇之，月色亦素耳哲夫之名，自是来往渐多，佳人才子，互生情愫。顾蔡已使君有妇，月色愿为夫子妾，袈裟脱却换红妆，来归哲夫。自此常用蔡谈溶溶名印，相与随唱，驰骋艺坛，一时传为佳话。

月色随蔡居南京。时与名家王福厂、黄宾虹等交接，艺乃大进，蔡乃为其设润例。月色善写梅，清雅绝俗。书法喜书瘦金体，篆刻亦有法度，古朴可喜，又擅以瘦金书入印，别饶一格。作品常用“比丘尼古溶”、“广州檀度庵比丘尼古溶”

等印。盖不讳言曾为尼也。尝为柳亚子治黄杨木印，柳谢以诗："贻我黄杨印，题君墨梅图。琼瑶无以报，惭愧对林逋"云。

蔡哲夫于1940年去世，月色集其诗词稿为《寒琼遗稿》刊行。月色居南京，以书画篆刻维生，亦以自遣。解放后，受聘为江苏省文史研究馆馆员，寓南京清凉山四号。曾在江苏省美术馆举行个人书画展。于1976年去世，时八十六岁。

招子庸画半边蟹

陈华新

广东南海招子庸(1793—1846)，擅画兰竹，尤工画蟹。每展纸落墨，一片秋水稻芒中，几只郭索横行，跃然纸上，逸趣无穷。由于画名日彰，求之者众，便定下润格，用资限制。有一求画者仅致润格半数，招则戏作半边蟹与之。其画法：作一浅滩巨石，在石罅中有蟹仅露半体，状极生动，胜于全蟹。其人得之大喜，观者叹为绝品云。

黄鼎萍画鼠

麦汉兴

1936年间，黄鼎萍先生得友人赠高丽纸一张，黄甚爱惜，乃裁幅精作绘事，画一小鼠偷荔枝。小鼠形神俱备，双目晶莹，望如闪动；身上细毛茸茸，作势欲扑。香荔一枝两果，其一已被啮开，肉质鲜润，红皮墨叶，玲珑逼真。黄此画寓意，乃讽日本军阀侵华野心。画成自感满意，且深得在粤名流赞赏，题诗以增光采、抗战胜利后，辗转关山，画与人均幸无恙，黄乃将此画精裱成卷，更请诗人为其留题。一日，请广州大学文学系主任马小进教授题诗。岂料马教授将画展开，一看之下，立即面如土色，手足颤动，大汗淋漓。时余适在旁，乃急拿热毛巾为之敷脸，约二十分钟始渐复安定。盖马教授生平最畏鼠，一见黄先生所作小鼠动态如生，乃惊恐若此。先生之画，其妙笔传神，于此可见。

徐悲鸿推崇古元

曹 若

1943年间，我寓居重庆，与美术界朋友常有往来。一次，漫画家廖冰兄告诉我，他曾亲耳听到徐悲鸿说："中国现实主义大师在延安，他就是古元。"古元的名字，我是听说过的，他是解放区的一位木刻家，但对他的创作道路，作品风格等就知之不多。经过廖的转述，我带着迫切的求知欲，一股劲遍找散见于报刊中有关古元的作品及其介绍文章，经过一番查阅，才对古元有所了解。

古元，广东中山人，1938年9月间奔赴革命圣地延安。曾先后在陕北公学、鲁迅艺术文学院美术系学习，研究木刻。毕业后，在陕北农村工作，以亲身体验穷山沟里的生活变化为素材，创作了一批深受群众欢迎的反映农村斗争生活的版画，塑造出工农兵的新形象，影响是很大的。在创作中，他还虚心听取广大群众的意见，在木刻技法上，吸收了民间绘画的形式，使作品日臻完美，而更受到群众的喜爱。他的作品《冬学》、《读报的妇女》、《结婚登记》、《人桥》等，无一不是现实主义的内容。徐悲鸿称誉古元为中国现实主义大师，实不为过。

爱国画师沈仲强在澳门的遭遇

蔡国颂

抗战期间广州沦陷，画家沈仲强挈家避地澳门，欲求一教席而不可得。米珠薪桂，人地生疏，借贷无门，赖名伶薛觉先到澳门演出时，给予周济，方免冻馁。

一日午饭无着，踯躅街头，邂逅一学生自港来，邀沈至茶楼共茗。稍坐即问沈先生喜食何物？沈苦笑云："我尚未午饭，何物不拘！"生大诧，问："时下午二时许，先生何以未饭？"沈即具实以告，并云："吾家与汪精卫本属世好，汪以伪中山县长相招，吾宁饿死亦不愿为。"生闻之大为感动，即倾囊相赠。沈擅画菊，有"沈菊花"之称，乃延至家中，以所绘菊花画幅相赠。生返港后，相约同学数人至澳门探望，并予资助，沈一一以画为报，生活暂得维持，如是者有年。

抗战胜利后，沈仍滞留澳门，一日，学生数人自港联袂而来，云已商定约请沈赴港开办画展。开幕前，港中各大报章均以"爱国画师"为题，广为宣传，不少外国人士慕名而至，展出十分成功，其中一幅菊花图，争购者竟达十三人之众。

湛谷生微雕核舟

丁　枫

增城盛产乌榄，榄核雕工艺的历史也有三百多年了。现珍藏在增城县博物馆的“苏东坡夜游赤壁花船”，更是榄核雕之冠。这是清代咸丰四年(1854年)，新塘老艺人湛谷生五十三岁时所作。布局新奇，充满画意诗情，引人入胜，堪称一绝。

湛氏擅雕刻，榄核雕更是他的看家本领。他雕刻的工具全是自制，雕刻的手法也很独特。雕刻时，先把榄核含在口内，待湿透后才取出。每遇晴天早上，便对着东边的窗台，让阳光照射着，精雕细琢。正午以后，他就休息了。这样，每天只刻三、四个小时。

“苏东坡夜游赤壁花船”，为一小画舫，长度不过四十五毫米，花船上有六个人物，十多件器皿，船底满刻着《赤壁赋》，字小如蚁，波磔分明，高超的技艺，令人叹为观止。

船头，品字形坐着主客三人，中坐者是东坡好友佛印，一副悠闲洒脱形状；右边亦为和尚，屈膝对坐，正与佛印谈心；左边坐着的是主人苏东坡，右手拿着书卷，仰望长天，微笑高吟，神态自若。

船尾，中间架一长橹。橹的正面刻有“增江湛谷生作咸丰甲寅时年五十三”小字一行。这是作者的记注，十分巧妙。橹的右边，站着一位艄公，双手执桨摇橹。艄公面前蹲着一个腰挂一个小葫芦的小孩，左边一老仆半坐半蹲的对着火炉煮茶。一动一静，细入毫发。

船篷顶部，全雕成十字花纹，像竹篾编织而成；篷顶正中处有一只刚要展翅的鸟鹊，欲向前方飞去，充满活力。船舱上有两扇可开合的小花窗。船舷边有九孔栏杆，立体感很强。舱前两边都开有一个小门。船舱镂成两层，拾级可下，船尾高挂着一盏风雨灯。精巧绝伦，确属神品。

牙雕斗宝记

冯楷彦

1913年，美国为了庆祝巴拿马运河开放，邀请世界各国以各自独特的艺术作品参加庆祝，这就是人们所称的巴拿马赛会。当时，中国广州的象牙作品，早已饮誉世界，当然成为大会中最瞩目的代表作之一。广州象牙行业公推大新街联盛号翁昭师傅的廿四层象牙球为参赛作品。而某国则以二十层的象牙球参赛。若论镂雕技术，真是各有千秋；至于牙球内部的雕刻，更是各具民族色彩。粗略比较，层数上中国不如某国；但雕刻的精致程度，则某国不如中国。但当时中国国势不振，世界上一些人的偏见，认为某国获胜的机会更多。但大会有些主持人认为两个象牙球是否出自一个整体，表示出极大的怀疑。于是大会决定将两个象牙球放在水中加热，以求获得真实的结论。当两国的象牙球在大会准备加热验证的消息传出时，更成为当时传播媒介的热门话题，各执己见，满城风雨，但毕竟认为某国取胜的居多。验证结果，某国的参赛象牙球实为合并体，水沸了一定时间，便出现分离解体。而中国参赛的象牙球却依然完整无缺，且颜色更通透明亮，证明中国的象牙球是同一体雕镂出来的。当大会将结果公布并展出两国的实物时，会场欢声雷动，特别是当地的华侨与世界报章，盛赞中国雕镂象牙球的神技。大会最后发给我国参赛者联盛号以一等奖状。从此，中国象牙球更风靡全世界。

现在，我国的象牙球已能雕到五十一层以上，艺术方面也更臻完美。

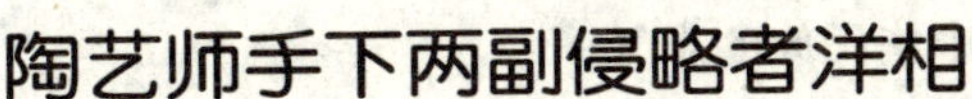

陶艺师手下两副侵略者洋相

何炽垣

1933 年广州市第一次展览会的古物馆里，展出两件特别吸引人的陶塑：

其一是人形陶器虎子(夜壶),广东人呼之为“番鬼尿壶”。“番鬼”泛指洋人,这里却是针对英侵略者而言。此尿壶有一段不平凡的来历:

1856—1860年鸦片战争期间,英法侵略军入侵广州、南海、佛山等地,大肆烧杀抢掠,以巴夏礼为首的英国侵略军更是到处施暴,无恶不作。广州地区城乡人民恨之入骨,纷纷奋起反抗。石湾陶塑艺人陈渭岩对侵略者的凶残行径感到义愤无比。他以巴夏礼为模特,制作这个尿壶,让中国人天天向着侵略者的脑袋灌尿,借以泄愤。这个尿壶的造型,戴礼帽的巴夏礼屈足侧卧,右手支腰,左手托腮,肘支地,愁眉苦脸而不掩其狰狞面目。尿壶设计巧妙,以巴夏礼的礼帽作壶口,其支腰的手臂作提把。在当时帝国主义入侵的严酷时刻,制作这样的作品,是必须具有强烈的爱国心和勇气的。现在这一文物已为博物馆所收藏。

其二是别出心裁、以现实手法创作的跪酒陶壶。洋人身穿仆人服,头戴高冠,婢膝奴颜,抱壶跪酒。这件作品足以扫外国侵略者的威风,而长中华民族的志气了。

容庚捐赠国宝“栾书缶”

罗雨林

我国著名金文学家、文物鉴藏家容庚教授，于 1942 年在北京以贱价购得一件国宝——青铜器“栾书缶”。他购得此缶，喜不自胜，随即著录于《商周彝器通考》上，后又在《殷周青铜器通论》中再加著录，由是其价值顿增数倍。

“栾书缶”是目前传世惟一错金字的青铜器。虽然我们从一些古籍中如宋人王俅的《啸堂集古录》和薛尚功的《历代钟鼎彝器款识》的著录里，可知“越王钟”有错金字，但实物早已不知去向。因而目前存世的实物，只有“栾书缶”这一孤品了。

缶是盛酒器，也可作盥汲，亦为乐器。此缶通高五十二分，腹深一尺零二分，有盖，腹阔一尺二寸一分，底径五寸二分，外口径五寸四分。盖与腹备有四环耳，铭文在器腹上端，五行，每行八字，字皆错金。腹盖内亦有铭文，铸“正月季春元日己丑”两行八字，其行文亦由左至右。西周彝铭大多镂刻在隐蔽的地方，而此缶的铭文则放在显著位置作装饰。器形匀重，铭字金光照人，十分珍贵。

栾书是春秋时期一名武将。乾隆间学者范照藜在其所著《春秋左传释人》卷六中对其生平考述颇详。

容庚教授十分热爱和关心祖国文博事业，便于建国初年毅然将他珍藏的珍贵文物一批，包括这件国宝捐献给广州博物馆收藏。

文同《墨竹图》重现光华

罗雨林

宋代著名画家文同(与可)《墨竹图》是目前广州美术馆收藏的二幅年代最早、风格独特的古画之一。这幅画在民间辗转流传了九百多年，饱经沧桑，几历劫难，最后由广州收藏家莫元瓒先生珍藏。八十年代初，莫先生有感于欣逢盛世，毅然将该画献给国家。广州市人民政府为表彰他爱国之情，当即发给奖状和一万元奖金。至此，这幅画才有了永久的、最好的归宿。

关于这幅画在民间流传的历史，说起来颇有传奇色彩。

据目前所知这幅画最早的收藏者，是清乾隆顺德龙山人温汝遂。温是一位不涉科场，专心绘事，富收藏，精鉴赏，尤擅画竹的画家。后来，清代鉴藏家筠清馆主人吴荣光，于乾隆年间以四小帧宋人山水画与他交换得到。此画经过许多人的鉴赏、题跋，辗转流传。经过二次修补，本世纪初，它又为著名文物鉴藏家罗原觉买得。罗得此画时，已分成很多块，便到高第街请邓涛的父亲邓启良精裱。抗战前，罗又将这幅画及《五帝朝元图》卖给李尚铭。广州沦陷后，李将它连同其他五幅画，以六十万元价卖给画家黄般若。不久，黄又把它卖给莫元瓒收藏。莫得此画十分高兴，视为至宝。抗战后，他曾携画赴香港参加文物展览。回穗时，乘坐的轮船失火，莫不顾其他，舍命紧紧抱住这画，幸而人和画都安全脱险。"文革"期间，红卫兵扫"四旧"，到处抄家，莫先生提心吊胆，便将这幅画裁成三截用自行车转移运往农村。刚刚把画运走不到两小时，他的家便被一伙人"抄"了。此画因转移及时而幸存下来。后来，莫先生拟将此画献出，广州市有关部门获悉，立即派出专人将画护送到北京，请首都专家鉴定。经过研究考证，确认这幅画是文同

真迹，并由故宫博物院几位专家和老师傅组成专门修补小组，为它作精心修补装裱。他们根据此画不同年代的绢质材料，从故宫已报废的古代绢质残片中选出适合材料，按原状逐点逐处精工修补，使之重现光华。前后足足花了一年的时间，才将这画送回广州美术馆珍藏。

朱光把马远《水图》十幅献给国家

罗雨林

马远是宋代著名画家，他画的《水图》共十二幅：《云生沧海》、《湖光潋滟》、《长江万顷》、《寒塘清浅》、《晚日烘山》、《云舒浪卷》、《层波叠浪》、《洞庭风细》、《秋水回波》、《波蹙金风》、《细浪漂漂》、《黄河逆流》，是中国美术史上的著名作品，马远被誉为我国画史上详细观察各种情况下的水，并逐一加以生动描绘的第一人。但历来这套著名作品的真迹难得一见。

朱光在任广州市副市长之前，偶在长春市街头散步，无意中在一处冷摊中发现了这套稀世奇珍，但只有十幅，缺二幅。那摆摊的老汉要价并不高。朱光当时经过认真细致鉴定后，认为确是马远真迹，多少人梦寐以求都难得一见的稀世之宝,令他惊喜欲狂,立即以一支派克笔的代价买下这画。同时与北京故宫博物院院长吴仲超商量,觉得这么一批国宝必须由国家保藏起来,表示愿意献出。吴院长听后自然也是高兴万分,因为当时故宫亦保藏了二幅马远的《水图》,现在加上朱光所献的十幅,则刚巧齐全,“珠联璧合”!故宫博物院也以石涛、新罗山人及扬州八怪等清代名家作品相赠,作为酬报,朱光亦欣然接受了。

文德路画店的《得胜图》

麦汉兴

苏六朋为吾粤名画人,其生平与作品,人所共识。余尝于三十年代见苏氏所绘《得胜图》一卷,据云本为汉镜斋所藏,但不知何故,辗转流出,为广州文德路某画店购得,出售索价仅三十元,在当时并不算贵。此图内容反映咸丰四年(1854年)李文茂率领的红巾军从北郊攻打广州城之役。当时清军一时未能齐集,只由团练黄圣彪率勇出战,抵住红巾军,西关一些绅士特请苏氏为绘《记功图》献黄圣彪。苏氏固同情红巾军者,画成不题“纪功”,只题“得胜图”三字。

此图以观音山(越秀山)为背景,山下展现两军攻守场面。清军官戴红缨帽,穿袍褂,骑大

马，持刀作指挥状。人像大不及二寸而须眉皆备，神情高傲。两旁卫士摇旗呐喊，为之助威。众清兵戴尖顶帽，穿马褂式号衣，前后“勇”字标志隐约可辨。裤色有黑有白，鞋则俱黑。右手持虎头大刀或火铳，左手持盾，状甚凶猛。红巾军则头缠红巾，穿短衣，手持刀枪，举黑星旗，神态威武。守军药械充足，枪炮齐发，火烟弥漫。火光以墨、朱、红、黄粉调涂。双方追杀，前仆后继。有满面鲜血者，有断手折足者，有身首异处者，有负重伤犹奋力扑杀者，亦有双方格斗相持不下者。至于山川草木，分别以朱、白、青、绿为衬色。远处则用淡笔写山庄农舍，有扶老携幼似走避者，亦有青壮村民振臂激昂似响应红巾军斗争者。鸡飞狗走，纷乱万分。而白云山大小鸿鹄岭一带山头，则烟云飘渺，峰峦隐隐，尚似幽静。

见此画者，莫不赞叹，既赏苏氏创作之精妙，尤喜当年历史留此见证也。只缘此画为隐含红巾军得胜之作，虑及不适时宜，藏者不利，故虽叹为观止，但未收购。半年后闻为某港商买去，遂不知下落。

《尺素遗芬》石刻

陈以沛

广州“海山仙馆”石刻，自晚清以来，久为近代文人墨客、金石专家所津津乐道，求观者众，但却以多年馆址石刻散失无存，探索无门。

现在位于广州市法政路三十号三号楼的阅览室，原是汪精卫旧宅“湖海亭”的遗址，在四面墙壁上，镶嵌有石刻五十九块石，每块约32×88厘米，整齐地排列着。长期以来，被石灰水涂抹，鲜为人知。至1987年间，因清刷墙壁才恢复了历史原貌。笔者第一个有机会前往浏览，阅读之余，才知壁上石刻内容，皆为当时许多名人致“海山仙馆”主人潘仕成的书信，也就是著名的《尺素遗芬》石刻的真迹。

“海山仙馆”建于清嘉庆、道光年间的荔枝湾，是晚清著名的园林胜境。门前以“海上神山，仙人旧馆”的对联集成“海山仙馆”匾额而为人所传诵。园中游廊沿壁遍嵌石刻，除晋、唐以来名帖一千余石外，还有当时名流手书石刻，其作者共计一百十三人，全是鸦片战争前后的名宦显贵及科第才子。论官职，有相国、太史、尚书、侍郎、总督、布政使、巡抚；论科第，有状元、榜眼、探花、进士。高官显宦之多，科第才子之众，为一般碑廊所罕见。

这批石刻书信共一百三十余篇，曾选出当时“已归道山者”拓本行世，美之曰《尺素遗芬》。其中有史料价值的，如林则徐赞扬潘仕成捐资招募壮勇保卫广州，邓廷桢知会潘仕成前往石门演习试炮，祁埙称誉潘仕成修筑虎门炮台有功等。也有赞美馆中石刻和藏书是“极石刻之大

观，洵艺林之秘藏”等记述。石刻书法有楷、行、隶、篆、草五体，一般为指头大小，亦有蝇头小楷，其中不乏文采与书法兼优的佳作。近百年来，潘家败落，这批石刻辗转流离，却仍长期留存，至今完整如初，真是幸事。

按“湖海亭”建于1943年，是在广州沦陷时期。据当年汪精卫撰书碑记所说，是以陈璧君的父亲的别号命名的。而这“海山仙馆”的石刻之所以能够镶嵌于墙壁，是由于“陈璧君暇日携拓本求之市”而得来，“因于寓中建亭”藏之云云。

一直隐瞒成分的大佛

陈以沛

大佛寺是广州著名的“五大丛林”之一，寺内有三尊巨大佛像——释迦牟尼佛、阿尼陀佛和弥勒佛，各高达六米；另有一尊观音菩萨像，亦高达四米。佛像之大，所谓“丈八金身，使人摸不着头脑”也。这四尊巨大佛像，已有三百多年历史，但经过清初、清末、民国，一直没有人知道它们是铜铸的、铁铸的、泥塑的还是木雕的。而僧人也一直讳莫如深，不肯透露。千千万万的善男信女，常年进进出出，香火把大佛熏得漆黑，也没有留意到大佛是什么材料造成的。直至1966年“文化大革命”，这个谜才给“红卫兵”揭开了。经过他们的斧劈锤砸，才发现它们原来是铜铸的，于是“红卫兵”就把它们运去西村南岸仓库，准备投入熔炉冶炼去了。

这三尊大佛每尊重逾十吨，观音像亦重逾五吨，共重三十五吨有余。当时我是广州市文物管理委员会工作人员，眼看大佛已陷入危机，在那时的情况下，来不及遵循领导签发的常规，于是自拟公文，自盖公章，并亲自送到西村南岸仓库，要求仓库负责人对四尊巨型古佛铜像善加保护。当时我问大佛寺僧人，为什么一直为大佛的“成分”如此保密？他沉思了一会儿说：“是啊，同志！实不相瞒，佛的‘金身’实是黄铜铸成，历来师傅叮嘱不要外传，皆因昔日的官僚军阀虎视眈眈，恐怕他们借口破除迷信，掠夺而去。”我才知道，僧人为了保存这四尊铜铸巨型古佛，竟是如此忧心忡忡。

今天，四尊巨型铜铸古佛，已被转送到六榕寺，并不再需要像自清末、民国以来那样，战战兢兢地隐瞒着“成分”，而可以泰然坐在大雄宝殿上，受到善男信女的膜拜了。

广州市府前和中央公园内的石狮子

罗雨林

石狮子象征着权力与威严，故宫殿和衙署门前多摆着一对石狮子。

1935 年广州市政府大楼初步建成，门前即摆着一对雄健威猛的石狮子；而位于市府前面的中央公园内，也摆着一对。

市府门前的石狮子，是清康熙年间广东巡抚公署门前的旧物。这巡抚旧署，在宋代为安抚厅，在明代为指挥都司署，南明又把这地方作为行宫，清初则变作平南王尚可喜的藩邸，相信那时候就已经门前摆着这对石狮子了。至 1918 年，这地辟为中央公园，供市民游憩。到 1935 年，公园后半部建成市府公署，前半部则变成了市府前的公园。建国后，市府公署又成为广州市人民政府所在地。这对雄健威猛的石狮子，依然摆在市府门前。

中央公园的一对石狮子，是当年由平南王尚可喜飞檄高要县令杨雍选凿肇庆星岩白石雕成，而摆在当时的王府门前的。

市府门前和中央公园内的两对石狮子，皆

一雌一雄，雄狮踩着一个彩球，雌狮揽着一只幼狮。两对石狮子造型浑厚、朴实、威猛，形神生动，显出巧匠神工。

石狮子不但象征着威严和权力，也象征着权力的转移，更是历史的见证。市府前和中央公园内的石狮子，就是如此。

中国电影事业的“救生圈”罗明佑

梁俨然

1921—1927年间，电影作为一件新事物，在国内蓬勃兴起。而一般影片商人，只图厚利，争相拍摄武侠打斗、神怪胡闹的影片，年青的中国影业很快被搞得非驴非马，紊乱不堪。在国产片沦落、外片输入、片商控制等情况下，华北影院经理罗明佑提出改良影业的意见。他认为：“电影作品，要注意改新工作与感化之效能。”他与民新影片公司合作成立华北影业公司，亲自编导新片《故都春梦》,内容描述一个知识分子,投身官场而致腐化堕落,最后潦倒还乡的故事。公映后轰动一时,国产片开始有了生机。继又拍了《野草闲花》,描述一富家子恋一卖花女,为了婚姻自由,打破阶级界限,放弃家庭财富而出走的故事,更哄动全国。名演员阮玲玉、金燄,也为此片演出而声名鹊起。以后罗更扩充业务,联合大中华、百合、上海等几家公司,组成联华影业公司,以救生圈为商标,题有"提倡艺术,宣扬文化,挽救影业,启发民智"十六字宣传纲领。以后连续拍了《恋爱与义务》、《人道》、《自由魂》、《南国之春》、《三个摩登女性》、《野玫瑰》、《天伦》、《慈母曲》、《渔光曲》等优秀影片,驰誉国内外,为国产片的发展,奠下了基础。

抗战开始,他又拍摄了《大路》、《小玩意》、《幼年中国》、《春到人间》等片,宣传民族自救。

抗战胜利后,联华公司内部发生意见,罗明佑与昆仑影片公司合拍了《一江春水向东流》后,就离开联华了。

罗明佑一生热爱电影事业,他大大提高了中国电影的水平,还造就了不少电影界的优秀人材:名导演孙瑜、蔡楚生、费穆、朱石麟、吴永刚、沈浮等,都出身于联华;名演员阮玲玉、金燄、高占非、黎灼灼、陈燕燕、王人美、郑君里、黎铿、张翼、陈娟娟、刘琼等,亦是在联华拍摄电影而成名的。罗在发展中国电影事业上,不愧为划时代的功臣。

建国前广州的电影业

曾　觉

1895年法国发明了电影，广州早期称之为“映画”。在1903年左右，广州开始有了电影放映活动。初时仅在茶楼放映，所放的只是几分钟至二三十分钟的风景、动物、卡通等短片。至1907年，一位华裔美商在现在的中山四、五路交界的北侧，办起了一间叫“通灵台”的放映场，放映一些短片。因为它是新鲜事物，也兴旺过一时。至1920年，广州开办了几个映画园及放映场，如一景酒家、洞天酒家楼下和长堤豫章书院放映场；十八甫北的“民智”，十五甫的“新民”，中山四路的“镜花台”、“东乐”，永汉北路的“香江”，永汉南路的“南关”，长堤的“明珠”（现羊城电影院）、“青年会”等影画园。这个时期所映的都是“默片”，有讲解员解画的。

如果说，1920年以前影画园已初步形成了一个行业，那么，至1938年广州沦陷前，则又有了较大的发展。除大新公司、先施公司两家天台都开设了固定的放映场外，先后开业的电影院有“永汉”、“大德”（现解放电影院）、“华民”、“新华”、“新新”、“天星”、“长寿”、“金声”、“明星”（现新星电影院）、“大华”（现南方戏院）、“广

州”、“中兴”(现中华电影院)、“中国”、“中山”、“西堤”等电影院。其中规模较大、设备较好的为“新华”、“金声”、“广州”、“明珠”等家，当时被称为“一流影院”。这时，早已由有声片代替了“默片”。

在1947年后，虽有“美华”、“长堤”、“国泰”、“一新”、“丽声”(现儿童电影院)、“模范”等家开业，但规模已大逊于前，多数到1949年后已不复存在了。

广州女曲艺歌坛的兴起

龙学礼

广州女子曲艺，起源于广州的盲妹街——陈基，民初，那里聚居着一群女盲人，她们以沿街卖唱为生，就是所谓“唱盲妹”，生活是毫无保障的。于是，她们中的一些高艺师娘被迫到酒楼、赌馆演唱，以求出路，结果深获顾曲者的赏识，收入颇丰。从而吸引了越来越多女曲艺人的加入。由于她们中多有姿色，声色俱备，更受人青睐。音乐伴奏由原来的自弹自唱发展到“五架头”(五种乐器)。唱盲妹又渐渐地为开眼女伶所代替，一步一步的转向商业化。旧时的盲妹街成了曲艺演唱综合承揽的包家世界。“承接锣鼓弦索瞽姬女伶”的招牌林立，如：林祥记、苏明生、

苏四记、晋源记、邬就记、李万记、邓胜记等,竞相垄断演唱的签约。歌坛的伴奏者许多由原来的业余玩家而成为职业艺人,并在盲妹街十一号成立了乐社——普贤堂,拥有成批的演奏名手,如梁秋(喉管秋),近年在香港的黄其浩、王师者、何臣(已故),以及在广州授徒传艺的苏文炳(粤曲鼓点大王)等老一辈音乐家。第二代的星腔著名演唱家李少芳也是普贤堂成员之一。盲妹街可称得是广州曲艺人才的摇篮。随着歌坛的兴起,昔日沿街卖唱的“唱盲妹”也就渐渐被淘汰,陈基的“盲妹街”便成了历史的陈迹。

熊府宝卷的演唱

张采庵

封建社会的高官显宦,富商巨贾,大都过着养尊处优的糜烂生活。他们除了营建豪华的园林府第,广蓄姬妾之外,还有所谓“声伎”。从历代的记载来看,是数见不鲜的。

“声伎”是私有的,即养在家里的歌舞戏剧班子,以年轻貌美的女子组成(亦有男女并收的),多从社会上的歌伶舞女选来,或从家中的侍婢培养出来,用作饮宴上消遣助兴,即所谓“音觞”也。但你想作座上客去欣赏,也须讲讲身份,不容易有机会的。

陈炯明据粤时代，手下有员猛将名叫熊略。这位将军年过半百，生得熊腰虎背，蓄两撇“仁丹须”，生活奢侈淫靡。他的府中蓄养一班声伎，笔者曾观赏过这所谓“熊府宝眷”的表演。但这是公开的，不是荣膺邀请的。

一个初秋季节，本市留法的画家刘博文先生假座教育会为她所主办的“博文美术学校”的暑期学习班举行结业典礼，邀请不少名流参加，济济一堂。节目单中最吸引人的是“熊府宝眷”的《凤舞》。我是学员之一，也混在人丛中观看。

行礼如仪了，名人讲完话，小游艺也表演过了，人们渴望的“熊府宝眷”的《凤舞》终于在掌声中慢慢地出到前台。

在《小桃红》的音乐声中，一队年十七八的妙龄女子十人，分东西（衣边什边）出场，她们边唱边舞，一律穿上绿色的舞衣，两腋下是百褶的翼扇，伸张起来便像两翼，背后拖着两条金色的凤翎，头上扎上一顶凤冠，凤头向前，赤脚。一拍一顿地作婉转而妙曼的翩翩旋舞，队式多变换，“层波常注人”。真有勾魂夺魄之妙。

场上散发一首歌词，填上粤调《小桃红》的谱子，开头几句是“人生适意，只在自求。乐志怡情端在我，或息或休。净几明窗宜洒扫，古书名画任探搜，一室清幽……。”

队歌中声音清脆，雏凤新声，最足动人。而轻颦浅笑，互相关目，动作熟练，至今难忘。有人云：这是“精武体育会”的“队舞”之一，是由“精

武体育会”派人辅导的。

昔日繁华，时移势易，“熊府宝眷”这一类堂会早就风流云散了。

1945年间，我往中山大岗(今属番禺)访友，偶到一家茶楼听女伶，一女伶名秋文者，歌声吞吐抑扬，跌宕盈耳。是很熟的调子，细细品味，原来唱的正是《小桃红》，不禁勾引起看“熊府宝眷”《凤舞》时的顾盼生姿的情景。曲终，问所传习，原来她即当年“熊府宝眷”的沦落者之一。秋娘老去，而余韵犹存，因忆述其事。

薛觉先的时装戏《白金龙》

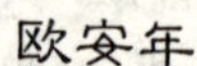

欧安年

1930年，粤剧大师薛觉先首次于“觉先声”班演出时装戏《白金龙》，社会反应强烈。该剧本来是改编自美国的电影《郡主与侍者》，适值南洋兄弟烟草公司有“白金龙牌”香烟面市，与外国香烟展开市场争夺战。该公司特意请求薛氏将剧名改为《白金龙》，结果，该牌子香烟亦随之大收宣传之效，销路日佳。据考，著名的电影导演汤晓丹，当年也曾为该剧画过布景。

1933年，薛夫上海用“南方影片公司”名义，和天一影片公司(即后来邵氏兄弟影片公司)合作，将其拍成电影。这一回是由汤晓丹导演，是中国第一部粤剧电影故事片，创下空前卖座记录。一时粤剧电影大行其道，乃是《白金龙》开其先河。此后，薛氏还有《续白金龙》、《新白金龙》、《红白金龙》等粤剧电影相继问世，于此可见时装戏《白金龙》影响之大。

该剧集中外各种艺术表现手法之大成。仅舞蹈就有交谊舞、集体野人舞、活泼单人舞、番女托瓶的杨枝舞。既有北派大打，又有魔术、幻术、催眠术的表演。还有西式的皇帝“酒楼戏凤”。

在音乐唱腔方面也出现了许多新腔、新调、新唱法，还使用电吉他伴奏。主题曲《花园相骂》流行一时。舞台美术布景方面，也有许多革新尝试。如豪华欧化的室内陈设，使用吕宋烟、电话、巧克力糖等体现当时新潮生活的小道具。还有野人营幕夜景等，光怪陆离，不一而足。尽管当中有“商业化”的猎奇手法，迎合低级趣味等庸俗倾向，但其大胆革新的精神是值得肯定和借鉴的。

薛觉先巧脱日寇魔掌

何浪萍 口述　汪　骅 记录

薛觉先是一位爱国戏剧表演艺术家。二次大战开始不久,香港沦陷。薛觉先适在香港,来不及离开。那时,民众憎恨敌人,消极工作。香港百业萧条,市容冷落,文化娱乐业基本停顿。为了制造占领区的"繁荣",日寇想尽办法。在香港主管文化工作的日本特务是福和久田,他对薛觉先的艺术造诣及其在民众中的声望知之素谂,故亲自去找薛觉先,施以威迫利诱,要薛出来演戏。薛一心要回内地,起初坚决不肯。后来想借演出寻找机会脱离日寇占领区,便答应下来,但坚持不肯演那些歌颂"大东亚共荣圈"的戏。福和久田也明白,此类戏是不会有观众的,只要薛肯演出,乐得让步。那段时间,薛觉先只演他演惯了的《胡不归》等几出戏。

有志者事竟成,机会终于找到。一次,薛觉先率团去广州湾赤坎。薛每次演出,福和必到场,而且始终坐在前排,名为捧场,实乃监视。眼看日方防范如此周密,薛遂与唐雪卿商定脱身之计。某夜,在薛演出中途,唐雪卿邀福和及其随从先去某酒家打麻将,等薛回来吃夜宵。福和眼见此前几晚都没什么事,薛、唐等人毫无逃走迹象，遂坦然不疑。福和一走，薛马上让别人“顶角”，自己立即卸妆，离开剧场直奔寸金桥。福和在酒店打牌，直至戏院散场，仍未见薛到，始觉情况不妙，赶紧去追。这时，薛觉先已过了寸金桥，进入内地。

当时的情况，薛觉先如被追获，后果不堪设想。但是，为了祖国，薛毅然甘冒这个大险，亦可谓难能可贵了。

后来，薛觉先绕道云南、广西，回到粤北，满腔热情地为抗日军民演戏，做出一定的贡献。

名丑生蛇仔利

吴紫铨

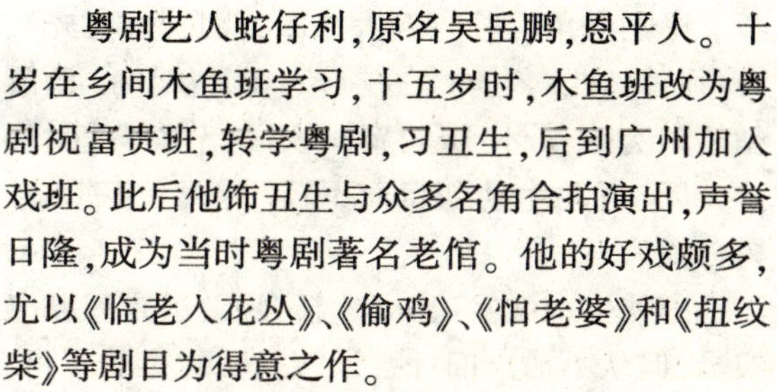

粤剧艺人蛇仔利，原名吴岳鹏，恩平人。十岁在乡间木鱼班学习，十五岁时，木鱼班改为粤剧祝富贵班，转学粤剧，习丑生，后到广州加入戏班。此后他饰丑生与众多名角合拍演出，声誉日隆，成为当时粤剧著名老倌。他的好戏颇多，尤以《临老入花丛》、《偷鸡》、《怕老婆》和《扭纹柴》等剧目为得意之作。

蛇仔利富有革命和反帝爱国思想，在祝华年省港名班当丑角时，利用粤剧允许演员（特别是丑角）即兴创造曲词的特点，借题发挥。一次在香港高升戏院演出，他饰一忠直的乞丐头子，演到一群乞丐上街乞讨时，他高声唱道：“英雄落难筲箕湾，得闲同埋（联同）兄弟落铜锣环。哗喇喇，两步跨到扯旗山。众同胞啊，香港呢处（这块）地方所有都系我地嘅（我们的），唔（不）去偷，唔去抢，我地（我们）可以任意纵横。”博得观众掌声如雷。他的措词无所顾忌，借以贬斥英帝侵略统治，伸张民族正气，反帝爱国激情，溢于词表。孙中山得闻此事，称赞他“勇敢争气”，一时间报刊纷纷赞扬，八和会馆也号召行家“要学蛇仔利”。

粤剧界怪杰廖侠怀

欧安年

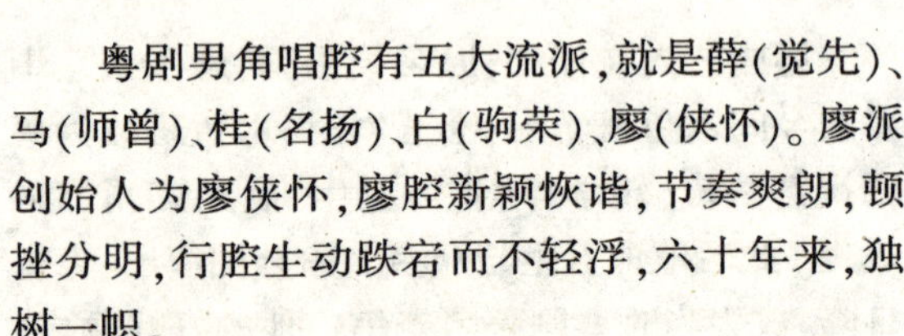
粤剧男角唱腔有五大流派，就是薛（觉先）、马（师曾）、桂（名扬）、白（驹荣）、廖（侠怀）。廖派创始人为廖侠怀，廖腔新颖恢谐，节奏爽朗，顿挫分明，行腔生动跌宕而不轻浮，六十年来，独树一帜。

廖侠怀（1903—1952），新会人，虽是粤剧名演员，但从不沾染旧社会嫖、赌、吹之类的恶习，被誉为“梨园圣人”。他长相不美，身材矮短而且麻脸，有“豆皮仔”绰号。但他自诩“天生我才必有用”，乃就其特点选择了投入粤剧饰演丑角的艺术道路，终于自成一家，成为粤剧名丑。

廖侠怀自称有三大嗜好：看书、看戏、逛街。看书、看戏易理解，逛街的作用则为体验社会生活，了解社会百态，提高艺术修养的一种实践。他有一次在街上碰上一个傻婆（患精神病的女性），便尾随着走了一大段路，听到她自言自语所反映的可怜身世之后，深感同情，当即把文明戏《棒喝自由女》改编为粤剧《花王之女》，叙述了一个饱受门第偏见为情以致成疯的少女故事，赚人热泪，成为他的代表作。

他所编演的戏，大都出之以嬉笑漫骂，玩世不恭，切中时弊。如他编演的《大喊十卖平米》，抨击那些为富不仁的土豪劣绅，社会反应强烈。为此土豪曾写信恐吓，声言如廖敢到其地头演出，将饱以老拳云云。他在《六国大封相》里，所穿戏服贴满贬了值的金元券，以此嘲讽当时通货膨胀，演出时全场哄动。为此，国民党当局以侮辱国币为由，罚他港币一千元。事后廖说："出了这口气，罚钱也'过瘾'！"又如在《贼仔戏状元》一剧中，他编了一段别开生面的台词："我不会做生意，一不会呃（说谎），二不会骗，三不会把奶粉变石头……"歌声未歇，台下已发出阵阵的喝彩声。那是抨击当时官商勾结，把联合国送来的救济奶粉偷换为石头的丑事。

廖侠怀的丑角戏，别具一格，不尽受粤剧传统的局限。如他的代表作《甘地会西施》，是一出超越时空的浪漫主义作品，以荒诞手法把印度近代圣雄甘地同我国古代美人西施扯在一起，

歌颂了古今中外的民族英雄。同时也借甘地之口，斥骂吴国罪臣伯嚭说："你出卖祖国，出卖灵魂，我要食你肉，剥你皮，看看你这卖国贼的好下场……"以此鞭鞑了卖国求荣的汉奸败类。

廖侠怀饮誉省、港二十多年，他演男、女、老、少、跛、盲、哑、矮等诸般角色，均能维妙维肖，粤语所谓"扮个(那)样似个样"，演来笑中带泪，亦谐亦庄，感人至深，故又称为"千面笑匠"。

"锦毛鼠"白玉堂

陈棣生

粤剧文武生白玉堂，原名毕焜生，广州花县人，初用艺名靓南。有一次，他演《五鼠闹东京》一剧，饰"锦毛鼠白玉堂"，演得非常精彩，大受观众称赞，遂为粤剧界器重，从此他就改艺名为"白玉堂"。以后声名日显，成为三四十年代的粤剧名演员，对粤剧做出了相当的贡献。

白玉堂是文武双全的演员，他演的首本戏《蟾光惹恨》、《佛祖寻母》、《雨夜寻梅》、《夜渡芦花》等剧，唱腔婉转流畅，咬字清楚，表演情真意切，性格鲜明，唱得入情之处，令许多观众伤心落泪。他不但文戏造诣甚深，演的南派武打戏也很成功。他功底深，功架好，动作干净利落，有"小武状元"之称。他和靓元亨合演《江东小霸王》,亲自设计武打,演来得心应手,精妙之处,观众掌声雷动。与曾三多合演《黄飞虎反五关》,他饰黄飞虎,身穿二十斤重的铜片袍甲,演来威风凛凛。武打功夫猛速准确,十分精彩,博得观众和同行的一致称赞。

他的戏路很广,除上述各剧外,他演《凤仪亭》、《百万军中藏阿斗》、《偷祭贵妃坟》等,人物塑造都很成功。他也演时装戏,在取材于上海发生的谋杀案的《严瑞生》一剧中演严瑞生,在临刑时唱的一大段表示忏悔的二黄，取得很好的社会效果。

白玉堂现居香港,年已九十一岁,还与省港粤剧界人士有往来,同行都很尊敬他。

欧阳予倩演苏三

方遐君

1929 年，笔者在中山大学预科求学。有一次,学校举行游艺晚会,会场就在文明路中大礼堂。

晚会最后一个节目,便是京剧《女起解》。演苏三的就是当时广东省立戏剧研究所所长欧阳予倩。听说,欧阳予倩南来,是当时广东省政府前后两位主席李济深和陈铭枢礼聘的。欧阳予倩早年留学日本,是春柳社的重要成员,既演话剧，又演京剧。他擅演青衣，至1916年正式搭班作京剧演员，由他自编、自导、自演的京剧剧目有二十多个。他既是导演、编译家，又是戏剧教育家、评论家、理论家，对京剧、昆曲、粤剧以及多种地方戏曲都深入研究。这次他扮苏三登场，严格遵守规矩，黑衫没有绸花边，头上不戴首饰。剧中苏三是名妓玉堂春，在这一折中，是被解送的犯妇，表现端丽、凝重而忧抑。欧阳予倩扮演得形神兼备，给观众留下深刻的印象。

是谁谱写《渔光曲》

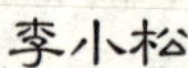

李小松

30年代，王人美主演的《渔光曲》上映，影坛为之轰动；主题歌《渔光曲》署名安娥作词，任光作曲。其实，真正作曲的却是任光师弟黄展干。

黄展干笔名超影，30年代就读于上海艺大，为田汉入室弟子，住在田家。任光是田夫人安娥弟子，与展干亦稔熟。《渔光曲》拍摄前，任嘱黄代为谱曲，曲成，任稍加润饰，黄请任署名，任喜从之。其后此曲大为流行，任光觉得有掠美之嫌，乃以一绒大衣赠黄，表示谢意。

黄展干与笔者为知交，他专事作曲，精研芭蕾舞蹈，能登台表演，曾为我的词作谱曲。

李克筠的《打回老家去》

黄穗生

30年代,"打回老家去"由剧目而成为政治口号,呼出了人民的心声,对宣传抗日救亡、团结御侮起了积极作用。该剧作者就是当时中山大学学生李克筠。

李克筠小名四欢,笔名易扬,广东番禺人。1931年"九一八"事变后积极投入抗日救亡活动,与吴永年、肖宜越等人发起组织中山大学抗日剧社,先后创作并上演《抢米》、《最后列车》等十多部抗日戏剧。

1932年夏,克筠与其五弟森林到北平奔父丧,留北平时,他目睹东北大批民众流亡燕市,流离他乡的悲惨景象,理解他们强烈要求打回老家去的意志,又听闻东北义勇军许多英勇抗战的事迹,深为感动,于是把握这一现实题材,创作了剧本《打回老家去》。

1933年,中大抗日剧社把这剧本印成小册子,以曙光书店名义发行。其后北平学生南下宣传团照此剧本排练,在北平、固安、郑州、太原、南京等地公演,反响强烈。剧本一时竟供不应求,一些剧团和戏剧工作者写信求助于李公朴、艾思奇主编的《读书生活》,艾找到剧本,即转载

于《读书生活》第三卷第十一期。1936年,读书出版社张庚主编了一本《国防剧集》,收入了克筠这一剧作,并以《打回老家去》作集名。

1937年"七七"芦沟桥事变前夕,剧本《打回老家去》又纷纷在各地上演,并与当时的同名歌曲在群众中广为流传。

然而,鲜为人知的是,当"打回老家去"这激动人心的口号喊得正响之时,剧本的作者李克筠却因抗日救国的爱国行动而被国民党当局囚禁于广州南石头监狱,熬过了整整三年的铁窗生涯。广州沦陷后,克筠到增城联络抗日队伍,辗转清远时,身染时疫,于1939年1月7日病逝,葬于清远县开平乡松树岗,年仅二十六岁。

小明星《秋坟》成绝唱

欧安年　龙学礼

享誉广州四大平喉之一的歌伶小明星,于1942年8月的一个晚上,在广州长堤先施公司天台游乐场,登台演唱粤曲,因备受欢迎而接二连三,欲罢不能,乃续唱《秋坟》一曲。至"鸳魄未归芳草死"时,已感不支,紧接唱"只有夜来风雨……"一韵未完即猝然吐血倒地。自此卧病不起,时芳龄才三十一岁。其时歌坛上为悼念她而作的粤曲就有多首,著名的《七月落薇花》开首的诗白："一曲《秋坟》成绝唱，可怜七月落薇花。"即指此事。

小明星，原名邓曼薇，广东三水人。是三十年代南国曲艺界"星腔"创始人，位列"四大平喉"之冠(余三人为徐柳仙、张月儿、张惠芳)。她十一二岁即从艺，以"童星"身份灌片，最初两首为《发疯仔自叹》和《水晶帘下看梳头》。其腔韵为人惊叹，誉为"小小的明星"，因而"小明星"便成为她的艺名。成年后造诣更深，省港歌坛，首屈一指。其唱腔亦称为"星腔"。生前灌制粤曲唱片甚多，远销国外，国内则遍及广东城乡千家万户。

《秋坟》是她后期的代表曲目，风格有新的突破。她平时运腔，字与字间惯用"阿"音贯穿旋律的起落，结合独特的切分音节奏而加以技巧的处理，声或断而韵还连，抑扬跌宕，自成一家。惟在《秋坟》曲中，特别是《南音》唱段，吸收民间唱法精髓，多用问字取腔，随字韵选用口型，一气呵成，荡气回肠，字字珠玑。音乐上的加工精而不滥，炉火纯青，使文学主题得到最佳突出。《秋坟》既是小明星的"绝唱"，更是星腔的"唱绝"。

在旧社会，小明星声誉虽高，但社会地位低微。那时沦陷区百业不景，生活艰难，她身染肺病，勉强登台，终于倒在歌坛，以身殉艺。死后无以为殓，其门徒李少芳、陈锦红、小燕飞等，在香港皇后戏院义唱筹款，为其治丧。

“二胡王”吕文成

叶舒鹏

吕文成，是二十年代和三十年代广东杰出的民间音乐艺术家。他演奏的二胡(现称高胡)及杨琴，技艺高超，极为广大群众所赞誉。吕氏是中山县人，自小爱好音乐，自学成才。他对广东音乐的创作与对曲艺唱腔和对乐器的改革，都作出了重大的贡献。

我和他认识是在三十年代初期，那时他在香港从事音乐工作，与音乐家尹自重、何大傻、程岳威被誉为“四大天王”。他每次来到广州，都会到我们那时的音乐社“素社”来参加音乐晚会。“素社”的主持人易剑泉先生和音乐界同仁梁以忠、陈文达、张琼仙均属吕氏故交。易老秉性好客，每次聚会都设宴招待，而我均被邀奉陪末座，故而有机得聆吕氏畅谈从事广东音乐的改进的一些情况。

吕氏为人温文有礼，待人诚恳，平常不大爱说话，但当和他谈起有关音乐的问题时，却是滔滔不绝，谆谆善诱。他谈到将二胡的外弦改用钢线时，说是参照了小提琴用钢线发音优美的特点。同时，拉二胡要走指，而钢线比弦线光滑，走指流利得多。今天的高胡是经吕文成改革创新制造而成的。在演奏方面，他将高胡夹在两腿膝盖之间。他说，过去拉二胡，一般都放在左腿上演奏，走起指来琴身容易摆动，影响效果。改为夹在两膝盖之间，琴身固定，并可随意控制音色音量，大大提高了乐器演奏的表现能力。他演奏高胡音色优美，炉火纯青，当时群众称誉他为"二胡王"。在杨琴方面他亦将部分铜线改换为钢线，使琴音更为清脆悦耳。

吕氏能唱能演能写作。他创作的乐曲，有二百余首之多。其中如《平湖秋月》、《银河会》、《渔歌晚唱》、《步步高》等，流行全国，蜚声中外，为广大群众所喜爱。

一张八十年前的粤剧戏票

陈华新

笔者收藏有清末粤剧戏票影印件一张，此为现存最早的粤剧戏票。票面上端横排有"振天声社"四字，下分五直行：中行是"三等位票金二角半"八字，右两行有"准本十月三、四两晚在金榜爪亚街口新戏院开演，此票限观一次"字样。左两行为"发票人林义顺，代理人乐怡轩公馆"。票的编号："428"。

据笔者考证，此为 1908 年粤剧志士班振天声社在新加坡演出的遗物，距今已八十多年。发票人林义顺，字发初，广东潮阳县人，新加坡华侨。时任同盟会新加坡分会交际干事。曾集资翻印邹容《革命军》五千册，易名《图存篇》，秘密输入漳、泉、湖、梅各地。后来许多参加黄花岗起义的革命青年，都说是看了《图存篇》之后走上革命道路的，可见影响之巨。林义顺精通英语，尤善交际，是孙中山在南洋从事革命活动的得力助手之一。他在新加坡经营农场，种植菠萝，故有“菠萝大王”之称。菠萝潮州语叫“凤梨”，其音与“往来”相近。他热心从事交际接待工作，故又有“往来大王”之雅号。振天声社在新加坡演出时，林义顺负责接待及办理发行戏票等事务，十分得力，又一次充当“往来大王”的角色。

早期出版的粤剧剧本

鲁　麦

粤剧剧本印刷出版最早的是同治六年(1867)由“丹桂堂”出版的《寒宫取笑》，这是粤剧大排场的十八本之一，又是当日公脚、正旦的首本戏。另一本是“右经堂”出版的《蒙正卖妻》，是“普天乐”班本，小生北的首本戏。这些剧本只有唱词而无曲牌。

到光绪年间，粤剧剧本的印刷才逐渐多起来。如光绪二年(1876)“富贵堂”出版的《蔡伯喈会妻》，佛山"芹香阁"出版的《大棚必真遇美全本》，"成文堂"出版的《三国碎锦》，"以文堂"出版的《牡丹亭》等。在这段时间出版的剧本中，唱词上已经注有曲牌了。

光绪末年，梁启勋曾用"曼殊室主人"的笔名，在乃兄梁启超主编的《新小说》杂志上发表过《班定远平西域》一剧，并印成单行本。这出戏是借班定远投笔从戎的故事来表达作者的爱国思想的。在《新小说》上还刊有《黄萧养回头》、《黄大仙报梦》等几个充满爱国主义精神的剧本。

到民国初年，剧本的印刷除刊有古典乐曲外，还登载一些反映当时现实的粤曲。稍后，随着粤曲研究社、大新书局等相继开业，粤剧剧本就开始大量印刷了。这时粤剧的剧本已经比较完整，除了唱词中载有梆簧体系的曲牌外，并在唱做上作了扼要的说明。

广州第一个旋转舞台

颜荐祥　容　兴

广州第一个旋转舞台出现于太平戏院。该院建于1933年，院址在丰宁路(今人民中路)的西瓜园，是一座三层砖木钢金字架混合结构，全场可容一千八百余观众。筹建人谭鼎初筹建该院时，对未来业务作过详尽考虑，看到太平戏院建成后，西有“乐善”，南有“海珠”，三院处于鼎足之势。“乐善”在居民稠密点，粤剧观众多，而且经营历史较长，有群众基础；“海珠”在繁盛地区，人流大，观众来源广；惟独“太平”处于不利位置。谭的友人廖了了献策，仿香港利舞台戏院搞个旋转舞台，以吸引观众，也是粤剧适应时机的一次革新。谭接纳建议，于是广州便出现了第一个旋转舞台。首台由“大尧天”剧团演廖了了新编古装神话粤剧《白蟒占龙宫》，由新珠、嫦娥英等名演员主演，轰动一时。

该院旋转舞台采用两级减速齿轮传动装置，使舞台可转三百六十度。第一场落幕后，转动舞台把后面备好的下场布景转到前台，即可启大幕继续演出。速度快，时间短，省去落幕后撤景赶布下场景的时间，颇受观众欢迎。

太平戏院以演粤剧为主，也演过话剧。“七七”事变后，广州文化艺术界爱国人士积极开展抗日救亡宣传活动，太平戏院演过大型历史剧《黄花岗》，广东话剧舞台上的“三大小生”李门、张村、卓文彬及“三大名旦”梁绮、阮琪、邝清辉都担任了要角，演出非常成功，充分发挥了旋转舞台的效用。

粤剧剧本"数字打架"趣闻

靓少佳 口述　何建青 记录

1931年，我们新组"胜寿年剧团"的时候，编剧任护花为我们编了一个剧叫《怒吞十二城》。情节有点像蔺相如捧璧入秦，只是捧的不是璧，而是"十二城"的舆图。蔺相如是文人，而这个戏的主角却是武将。《怒吞十二城》演出后，非常哄动。"十二城"怎样怒吞？这是一个引人入胜之谜。加上在戏院门口挂了一幅广告画，画我张开大口，十二座城池滚滚吞入我的口中，引得观众围观如堵。没想到这出戏却刺激了在"锦添花剧团"当剧务的南海十三郎的神经中枢。

南海十三郎是大名鼎鼎的编剧家，长期替薛觉先编戏。我友陈锦棠成立了"锦添花剧团"就延揽他入幕。他见《怒吞十二城》如此"收得"，马上编了一套戏叫《江南廿四桥》，意在数目字上倍于十二，从而把它压倒。任护花见南海十三郎如此恶作剧，又马上编了一套戏叫《三十六迷宫》，从数字上还之以颜色。没有嗓子的曾三多，长于开面戏，任护花叫他扮演"吞天大将军，大开其五色面。结果《三十六迷宫》一如《怒吞十二城》般哄动。南海十三郎更不示弱，又替"锦添花剧团"编了一套戏叫《七十二铜城》，看看任护花

还可以在数目字上出什么法宝。任护花岂甘罢手，又要着手编一套以《水浒》作题材的《一百〇八将》。后来我说算了，不要在数字上打架了，这套戏才没有出笼。其实，我与陈锦棠的私交极好。当我父亲去世出殡时，陈锦棠骑自行车开路。后来陈锦棠不幸逝世后，他的夫人陆淑卿还常来我家中作客，几十年往来不绝。几个剧本的"数字打架，"不过是大家好胜而已。

抗战初期粤剧界的爱国活动

苏信

抗日战争爆发，广州人民的抗战热潮如火如荼，粤剧界亦不后人。

记得电台播出名演员吴楚帆高歌的《全民抗战》一曲，高亢悲壮，迅即流行全市："举目四野烽烟，更重哀鸿遍遍。眼看蜩螗国事，无非煮豆萁燃。可叹桑梓无事，遭那连绵灾孬。不禁使我仰天长恨，涕泪潸然……"。连小孩子也跟着唱，令人难以忘怀。薛觉先除演粤剧外，也拍电影。当时曾主演一部叫《最后关头》的影片。该片揭露了日寇纵火焚毁我国城乡，杀人如麻的罪行，使观众无不义愤填膺。

1938年8月13日，广东人民掀起了献金热潮，粤剧界艺人积极响应号召，在乐善、海珠(今人民)等戏院连日义演,门票所得悉数捐出。参加演出的剧团有:“大罗天”和“万年青”。演员阵容强大,行当齐全。参加演出的演员有:曾三多、麦炳荣、袁士骧、桂名扬、叶弗弱、车秀英、嫦娥英、古耳峰等。演出的剧目是《十万童尸》、《冰山火线》等。

当时,广州的通衢大道,十字路口,都搭起了献金台,其中最大的一个是文昌路口广州酒家前。不少粤剧艺人除义演外,还解囊投款入献金箱中。

百花冢遗址的发现

姚瑞英

世传广州沙河有穴"百花冢"，是明末爱国歌女张乔之墓。张乔，又名张二乔，美而工诗，与当时广东诸节烈人士黎遂球、陈子壮等均有交往，常以诗歌唱和。卒年仅十九岁，著有《莲香集》。

"百花冢"究竟是在何处？长期无人知晓。史料有记："右地番禺，去县治十七里，繇东门出山口，转北直行，渡小涧折而西，经蚺蛇坑，过苏庄，度石桥，转西，土名象坑，小梅坳者是也。"1956 年适逢张乔诞辰三百四十一年，以叶恭绰先生为首的粤中诸老，千方百计寻找百花冢，但未找着。“百花冢”遗址何在，仍是个谜。

天河区沙河镇龙洞学校郭纪勇老师，得知百花冢在沙河地区，便决心寻访。他根据史料记载百花冢在小梅坳的线索，联想到小梅坳可能在梅花园附近，但请教了梅花园一带多位老人都说不清，只知梅花园有个“探花塘”，是陈子壮葬歌女的地方。其后，郭老师认识了业余文物爱好者黄添发，谈及此事，黄说他认识梅花园的练带和练春两老人，他们自幼在梅花园长大，或会知道。在黄添发的引导下，找到练春老人，他回忆说：“百花冢是在梅花园，现属军区范围，墓是灰沙泥造的，碑上写着：‘歌者张丽人二乔之墓’，墓前有一块奇丽的山石，称仙人掌石，‘百花冢’三字就刻在仙人掌石上。”可惜练春老人有脚疾，行走不便，没法带去寻找。于是找到练带老人带路，经探梅别墅进入军区招待所，在一所礼堂旁边找到了那块仙人掌石。他说，小时候还看见这石上有很多字，但一个都看不懂，附近的人都说这是天书。大家对着仙人掌石看了许久，看不出有一个字迹。老人说，墓在日本侵略军来时就毁了，但仙人掌石就是这块不会错。

仙人掌石找到了，但看不出字来，百花冢的遗址还难于确定。于是郭老师又到省博物馆借到张乔的情侣彭孟阳书的“百花冢”三字拓本，经过多次与仙人掌石细心找寻、对照，终于在仙人掌石的顶端找到了“百花冢”三字，每字约20

平方厘米，隶书，旁边还有几行小字已风化得看不出什么了。

至此，百花冢的遗址才真正找到了。于是广州文史界人士复举行纪念活动，并各携花株遍植墓旁，使自清代至今失落了的“百花冢”重现芳华。

寻梁佩兰故里

符　实

清初岭南三大诗家之一的梁佩兰，历来只记“南海人”，而乡籍不详。最近搜集史料时，有梁氏族人提供线索说梁是广州附城的五眼桥乡人，根据是五眼桥梁氏宗祠有梁佩兰的牌位，此外却找不到梁氏其他遗迹。后据《梁佩兰墓志》有“元配姚何氏太夫人，乃同邑芙蓉乡文学古愚公季女”之句。考明清两代所称芙蓉即今之广州芳村海北地区。据此，在这里找到了梁佩兰故居所在的“进士里”。

梁佩兰五十九岁之前的大半生是在这里度过。由于他长期乡居芙蓉西浦，留下多篇对家乡景物的题咏。如《偶题》：

芙蓉溪内水三丫，插棘编篱自一家。
富贵眼前人不识，满园开遍佛桑花。

又如《西浦》二首：

西浦桥边纳晚凉，葛衣斜透稻花香。
舟迎雪浪粘渔网，陂绕菰蒲长鹤粮。
一天黄叶下溪流，两岸芙蓉隐钓舟。
明月满庭眠不得，金笼蟋蟀在床头。

另外还有《迎春词》十首，记录了当地风物，为我们研究梁佩兰提供了可贵的资料。

东较场风云录

廖汝忠

广州东较场（今英雄广场及省体育场）是清代的阅兵比武场。当时，场内有一座壮观的阅武台，台前有“阅武”二字的牌坊。封疆大吏就高坐在台上校阅将士或考取武举。林则徐和邓廷桢就曾在这里检阅将士，当时，几百名精选出来的官兵演习了排枪和火箭，林则徐大为赞赏，随即为阅武台写下了一副对联：

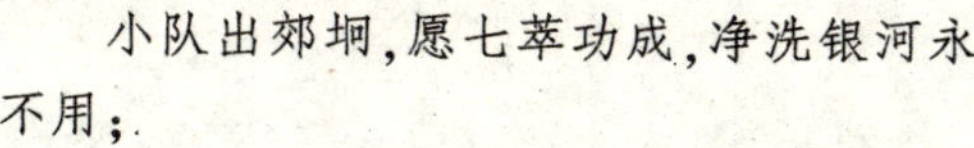

小队出郊坰，愿七萃功成，净洗银河永不用；

偏师成壁垒，看百蛮气慑，烟销珠海有余清。

到了第一次国内革命战争时期，革命群众常常在这里举行集会。1925年6月23日，为抗议帝国主义制造的“五卅”惨案和声援上海人民的斗争，周恩来和省港罢工工人及各界群众就

在东较场集会，会后一支十万人的队伍举行游行示威。同年12月21日，广州十五万人在这里举行了援助京沪反段(祺瑞)大示威。吴玉章、邓中夏、邓颖超和李富春等共产党人都上台慷慨陈词，呼吁北伐。

1926年元旦，国民党第二次代表大会开幕后，在东较场举行了盛大阅兵典礼，二十万军民高呼着“打倒帝国主义”、“打倒军阀”的口号。毛泽东、林伯渠、吴玉章、恽代英、邓颖超等，也参加了这次阅兵式和示威游行。这一年的“五一”国际劳动节，全国第三次劳动大会的代表和广州各界群众共三十万人在这里举行了空前大规模的庆祝活动，刘少奇发表了重要讲话。1926年7月9日，革命政府也在这里隆重举行了北伐誓师大会。今天，东较场已作为“北伐誓师大会会场遗址”而被载入史册。

访小蓬仙馆

符　实

小蓬仙馆，坐落广州芳村花地新隉沙东，在康有为的原有产业“康地”内，据说也是康有为幼年的读书处。该馆原是一座水磨青砖的三进古建筑，有大殿、精舍，后面有小花园，曲径清幽，亭台山石，面对鹅潭，风景秀丽。因年代久远，建筑物已受到严重破坏。现部分已成民居，只存前殿与两庑。庑殿之间还有两座青云巷，上书“清镜”、“平砥”；正面石额“小蓬仙馆”为80平方厘米隶书，苍劲有力，当出自名家手笔。从残存的前殿外部，还可以看出建筑有相当高的艺术水平。前殿山墙下一排拱托，下有“花开富贵图”，均为砖刻，线条清晰，刻工细致，基本保存完好。檐下有一块长约10米，宽40厘米左右的长幅木浮雕，刻有花果菜蔬图案二十余组，富有地方色彩，是不可多得的木刻艺术品。

小蓬仙馆建于何时？是谁所建？历来众说纷纭。一说是道教羽士集资兴建，因慕蓬莱仙境而名为小蓬仙馆。另一说则认为是康家所建，是康有为祖父接待朋友之所。还有人说是两广总督叶铭琛奉父命所建，作为其父修真之地。但都没有足够的根据。

康家广有产业，在南海县银塘乡，建有著名的“澹如楼”，在广州有“云衢书室”，在芳村花地则有“康地”与“康园”。光绪十五年康有为第一次上书失败后，在《去国吟》一诗中有“百亩耕花花埭宅，先生归去未应非”，所指的就是“康地”与“康园”。康有为六岁受学于番禺简凤仪；八岁，祖父赞修授徒于广州府学宫孝弟祠，有为随从受学。按此，康有为在小蓬仙馆读书，应是六岁至七岁。芳村故老相传，光绪二十四年，他奉旨上京主持变法之前的一段时间，曾住在康园而流连于小蓬仙馆。维新失败后，康园与康地被

抄没，小蓬仙馆址在康地范围内，是康氏故旧及同情者帮助而保存下来。现列为芳村区文物保护单位。

从楹联看余荫山房风貌

何侃基

被誉为广东四大名园之一，现已被列为省市重点文物保护单位的番禺余荫山房，颇多楹联，大都情景交融，至堪品味。兹录数联如下：

前门："山云备卿霭，水木湛清华。"昔日该园逢春节开放三天供人游览，同时挂上此联。

二门："余地三弓红雨足，荫天一角绿云深。"上款："燕天比部亲家大人雅鉴"，下款："戊辰秋七月弟陈允恭撰并书。"按：戊辰，即同治七年(1868)。

深柳堂："鸿爪为谁忙，忍抛故里园林，春花几度，秋花几度；蜗居容我寄，愿集名流笠履，旧雨同来，今雨同来。"下款："余荫山房主邬燕天自撰联语。"

临池别馆："好作风月主人，邀来池畔鸥盟，领略诗情画意；莫放光阴过客，唤起花间蝶梦，相量红瘦绿肥。"原款："潘亮功题"。

桥亭："花明柳暗蝶迷路，月白风清人倚栏。"原款："朱果题"。

八角亭："每思所过名山，坐看奇石皴云，依然在目；漫说曾经沧海，静对明漪印月，亦足凝神。"下款："戊辰中秋余荫山房主人题"。

杨柳楼台："风月任平章，是处居然台阁；烟霞供笑傲，其人望若神仙。"无上下款。

园内原有楹联，重修时大部分已散失或损坏。后得当地父老及散居各地的邬氏后人提供，基本恢复了原有内容。笔者参与了修复工作，现已使之重现光华，供游人欣赏。即此数联，亦可以想见余荫山房的旖旎风光和诗情画意了。

清代广州的书坊

李绪柏

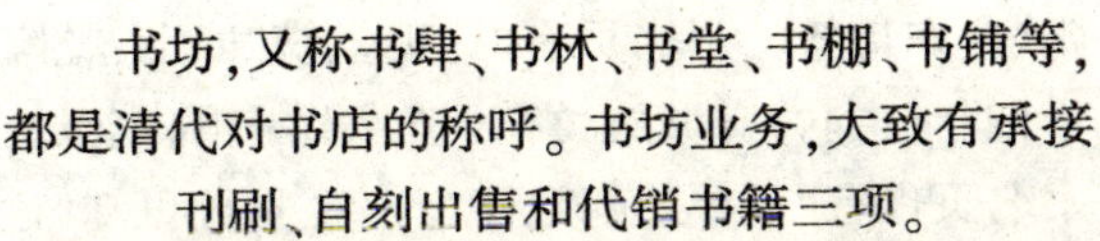
书坊，又称书肆、书林、书堂、书棚、书铺等，都是清代对书店的称呼。书坊业务，大致有承接刊刷、自刻出售和代销书籍三项。

清代广州书坊渐起，在道光以后至光绪初而极盛，各省书客辐辏穗垣。《学海堂二集》有侯康《双门底书坊拟白香山新乐府》诗，写出当时书坊的情景，开首云："双门底，双阙峙。地本前朝靖海楼，偃武修文书肆启。东西鳞次排两行，庋以高架如墨庄。就中书客据案坐，各以雅号名其坊。"可见当时广州已书坊林立，盛况空前。

据有关资料，清代广州书坊有名可案者百

余家，多集中于以下三地：

双门底（今北京路）有芸香堂、九经阁、味经堂、古经阁、聚文堂等家。

西湖街（今西湖路）有正文堂、聚珍堂、藏珍阁、翰藻斋、成文堂等家。

学院前（今书坊街）有启文堂、萃经堂、翰芳斋、翰文堂、宝经阁等家。

此外，西湖路一带之龙藏街、九曜坊均有书坊。而第七甫、第八甫也渐成书坊街，有五桂堂、藏经阁等家。现在七八十岁的人还能见过这些书坊。

其实在道光以前，广州已有书坊。雍正八年（1730），署广东巡抚傅泰奏称：于书坊中购得屈翁山《文外》、《诗外》及《文钞》等禁书。但未见记载书坊的名称。目前所知清代广州最早的书坊，当推“达朝堂”。乾隆十二年（1747）顺德梁善长辑《广东诗粹》，书名页有“达朝堂镌”四字；乾隆十四年（1749）宣城施竹窗、张芸墅编辑《宛雅》，书名页也有“五羊达朝堂梓”六字。据此可知“达朝堂”为清代广州较早的书坊，亦可见羊城是个文化发达之区了。

旧社会广州一条盲妹街

苏文炳

正如广州好些街道传统地以某种行业为中心的一样，清平路接贤思东街的陈基，民初有“盲妹街”之称。那里狭窄肮脏，却很热闹。入夜鱼生鸡粥、云吞面、糯米鸡等小贩的市声，寻欢调笑之声与从屋内隐约传出的琴韵歌声交响着。小巷约五十户人家，却住有四十户盲人，包括成年的瞽姬和被养母贱价收养“学艺”的贫苦女盲童。

每当黄昏后，就有老妇人手提小油灯，拖引着三五成行的盲妹，从那小巷鱼贯上路，例行十三行、同文路、靖远街一带，高叫“唱嘢”，或由盲妹边行边奏音乐，招揽卖唱。不分风雨明晦，严寒酷暑，盲妹强展笑颜，慢步行走，关注着顾曲人的召唤。无人问津之时，尽管风寒露冷，踯躅街头，深宵也不敢回去，为怕遭受养母鞭笞之苦。偶遇凶横强暴，不但身遭蹂躏，分文不获，连仅有一些妆饰或光鲜衣著也被强行夺去。短短这一条盲妹街，不知洒尽多少失明儿女的辛酸血泪！

古藤盘龙记

曾　正

从增城县城向北行十一公里，有个小楼镇，在附近的梓里村口，有一棵罕见的巨大青藤。只见它攀绕在一株老榕树和几株杂树上，繁衍生长，人们总找不到它的根部在何处。古藤身干最粗处直径一百五十厘米，延伸跨度有三十多米，覆盖地面四百多平方米，枝繁叶茂，浓荫一片。有的匍匐卧伏如巨蟒，有的盘结缠绕成蛇圈，有的拔地凌空似飞龙。真是变幻万千，异状百出，令人啧啧称奇。

古藤每年六月开白花，八月结果，为荚状卵形。花开时，香气袭人，传播四邻。远远望去，就像一条带着绿色云彩、闪着点点白光的巨龙昂首腾飞，十分壮观。所以，人们称它为“盘龙古藤”。

据华南植物研究所的专家分析鉴定，此古藤学名叫“白花鱼藤”，是国内稀有植物。至其生长年代，至今难于断定，尚待考证。

海幢鹰爪兰

麦汉兴

广州河南海幢寺内,有老鹰爪兰一株,备受香客游人称赏。鹰爪兰,一名鹰兰,广东名花之一。蔓生,花色浅绿,冠六瓣,极厚,瓣尖有钩,状如鹰爪,故名。广州民谚有云:"未有海幢,先有鹰爪。"意谓海幢寺未建之前,已有鹰爪兰在此地生长。

传说明季有富户郭龙岳者,因失去玉饰一方,疑为婢女窃去,于是严刑逼供,婢女含冤莫诉,遂至花园投井自尽。既而井被土填,井口长出鹰爪兰一株。翠茂异常,花香特烈。及后,海幢寺兴建于此,而鹰兰被括入寺内,一向得寺僧呵护,至今尚葱茏如昔。

据考此树已历近四百年,已被广州市列入古树名木,加以保护。历代名人雅士吟咏甚多。清崔弼《咏海幢寺鹰爪兰》诗云:"与鹘同类本非仁,以爪名花取象新。岂信群魔凭攫取,故留仙刹作芳邻。风流六瓣云摇珮,石护重栏月啸春。读尽离骚不知汝。搅烟搓雨是何人?"吟来最饶逸致。

蔡孝与石室的建筑

艾　华

矗立于广州一德路旧部前之天主教圣心堂,俗称石室,是一百多年前西方哥特式建筑在我国的典范。此一著名建筑的施工方案,竟出自我国一普通木工蔡孝之手,这是值得大书特书的事。

蔡孝,揭西河婆人。1863年(清同治二年)石室兴工时,聘用蔡孝家乡不少石工来市工作。但在法国工程师的主持下,工程措施不得要领,施工数年,主体建筑进度缓慢。适蔡孝由河婆至广州石室工地探望同乡,一望而知非计,私与乡亲石工议论,谓"如此施工方案,工程迟早必出问题。"指手划脚,为法国工程师所察觉,始则轻视,而石工求翻译详为转达,工程师鉴于旷日持久,无所作为,亦为动容,始约见蔡孝。及见,蔡一一指出施工方案之不合理,使法工程师衷心叹服,若有所悟,立聘蔡氏为总管工,实则为工程总指挥也。

蔡就任后,每当关键工程,常亲自动手,直至完成。石室工程共历二十五寒暑,1888年(清光绪十四年)工程完成时,蔡孝已是年届五十岁老翁矣。

建筑师吕彦直与中山纪念堂

刘成基

凡到过广州参观过中山纪念堂的人，无不赞誉这座富有中国民族风格而设计新颖独特的近代建筑。人们登上越秀山镇海楼望下去，中山纪念碑、中山纪念堂、广州市政府、中央公园均沿着一条子午线，正对着海珠桥，气势非凡。中山纪念堂的主体内圆外方，拱托着八角攒尖式巨顶，全座用钢筋混凝土和钢架构成。大堂内空间极大，分上下层，共设四千七百二十九个座位，而无一柱遮挡视线，大堂共有十一个出入口，集中近五千人能于五分钟内疏散完毕。这座建筑的总体布局，采取宫殿式的传统风格和近代总平面设计的手法，是中国古典艺术与近代建筑技术相结合的产物，也是中国近代建筑的成功创作。这使参观者不禁惊叹，这座杰构的设计是出自谁家之手！

值得我们自豪的是：这座建筑物是中国人在六十多年前自己设计和自己建造的，主持设计的建筑师就是当时年仅三十几岁的吕彦直。1927 年 4 月，中山纪念堂建委会登报征集设计方案，应征者有中外知名建筑师二三十人，评选揭晓，青年建筑师吕彦直喜占榜首，其后纪念堂

的设计工作就由吕主持。参加者尚有李锦沛、裘燮钧、葛宏天等数人。

吕彦直，1889年生，山东省人，1913年毕业于北京清华大学，曾赴美康耐耳大学研习建筑，1921年回国，在上海设立“彦记建筑事务所”，后在上海提出应征纪念堂设计的方案。

纪念堂建设工程于1928年4月动工，1929年1月15日正式奠基。正当工程顺利进展的时候，万万想不到出色的设计师吕彦直却于3月18日在上海病逝，年仅三十六岁。建设者们无不为我国建筑界这一重大损失而惋惜。可告慰者，纪念堂的建设，在吕去世后的第三年即1931年10月宣告落成。在中国近代建筑史上，卓越的设计师吕彦直留下了不朽的功绩。南京的中山陵和广州越秀山上的中山纪念碑的设计，同是吕彦直的杰作。

解放后，人民政府曾先后三次拨出巨款重修中山纪念堂，建成了吕彦直当年设计而未建筑的铁花围墙，增加了现代化设备，美化了环境，使纪念堂更显得华丽壮观。毛泽东同志数次来粤视察，曾在这里接见干部、群众。有一次曾专门视察纪念堂建筑，从东门进去，楼上楼下，舞台前后，走廊内外，都认真端详，频频赞许。他说：“这是中国人自己设计建造的伟大建筑物，讲中国不行，为什么能搞这么大的建筑？”

游观胜处——荔枝湾

潘广庆

荔枝湾在广州市西，弯环一水，绿荫垂波，向以两岸满植荔枝而得名。“荔湾渔唱”就曾列为羊城八景之一。其地理环境，属珠江支流的河网地带，临江处与大坦沙隔江相望，烟雨迷蒙，帆樯映带。内河水道，南起柳波涌，北接流花、彩虹二桥。所谓“一湾溪水绿，两岸荔枝红”，就成为古往今来对这一形胜的最佳描述。湾水以西南为最宽，展为一滘，沙溆中分，遂成河套。岸侧略置亭榭，板筑萝门，无尘俗气。游人每荡桨其中，或舍舟而登陆，或临流以濯足，或越林以相呼，或嬉水而击楫，故有“波光摇鬓影，笑语隔湖船”的生动描写。

据有关文献，早在南汉主刘钅长据粤时就营建离宫昌华苑于此，每于荔熟时节招邀名流墨客设红云宴，极一时之盛。事越千年，已成尘迹。到了清代又有邱熙构筑的阮元为之题名的“唐荔园”，水榭亭台，溪桥小道，有“千树荔枝四围水，江南无此好江乡”之誉。稍后潘仕诚所筑的海山仙馆以及继起荔香园、彭园、漪澜堂等亦具规模，各擅其胜。《南海县志》有“十里红云，八桥画舫，游人萃焉”之语。此不难想像本世纪以来的“红荔湾头第一村”的游观胜概。

至于荔枝湾的消夏活动，五十年代初广州市长朱光曾有《广州好》词：“击楫飞觞惊宿鹭，啖虾啜粥乐余闲”以纪之。

广州建设，月异日新，闻古都学会有就其故址，模拟前规，恢复荔湾五十年前的傍水池亭，枕流溪阁面貌，使珠帘画舸，酒舫粥艇，又复重现于西郊与海角红楼两游泳场之间，以广招中外游侣之议。此则企予望之。

陈济棠葬母目击记

梁洪涛

三十年代中期，统治广东的陈济棠在我县“芙蓉嶂”筑坟葬母事，轰动了全花县。现在六十岁以上的人，都记忆犹新。

先是陈济棠请他的哥哥陈维周带堪舆先生来花县芙蓉嶂察看洪秀全的祖坟。回报说：“洪秀全的祖坟葬得过低，如果葬正穴位，洪秀全就会成为真命天子了。”之后，陈济棠约同宪兵司令利树宗(花县人)带同堪舆先生到花县实地视察，看到芙蓉嶂山势雄伟壮观，赞叹曰：“真是名不虚传！”于是决定将其母迁葬此山“龙脉”的“结穴”处，并择定1935年7月吉时安葬。

在那天的清晨八时左右，我在花城师范学校门口，见到有几十辆冲锋车，后面跟着数不尽的卡车，载着威风凛凛的士兵，还有陈济棠的三军将校、广东各级官员、各界名流人士，络绎不绝地开来，我们全校师生也跟着出发，直奔芙蓉嶂。

正午十二时，我们看到了下葬仪式，首先是锣鼓喧天，枪炮齐鸣，一群穿白带孝的家属，以陈维周、陈济棠为首，向墓穴行进，跟着是一辆特大的卡车，载着万紫千红的花圈，最后是用十

二人抬着一个红木制的藏着陈济棠母亲骸骨的棺箱，下葬到地穴里。最令人惊诧的是，在埋葬品中竟有两大卡车草鞋！据说一双草鞋等于一万兵(当年的士兵都穿草鞋)。于是，陈氏家属行礼，然后各方人员列队趋前行礼，才告安葬完毕。

仅仅过了一年，陈济棠反蒋失败下台，皇帝梦成了泡影。

广州过去的四种艇

龙劲风

四五十年前，广州有过四种艇——紫洞艇、游河艇、住宿艇和过海艇。

紫洞艇，是一种酒舫。广州人除了在家庭或酒楼设宴之外，有时也在紫洞艇宴客。紫洞艇内像一个长方形的厅堂，船舱高敞，面积大小可容三两席酒。紫洞艇泊在河面，夏日凉风习习，且装置优雅，两面饰有玻璃窗，十分明净舒适。或月夜在艇头小宴，更为惬意。紫洞艇各有题名，如“银波”、“印月”、“清风”、“帆影”等等。各以水上名厨、生猛海鲜及独特菜式相号召。当时紫洞艇有二十多艘，泊于东堤、荔湾一带，尤以东堤为多。

游河艇分“四柱大厅”和“洋板”两种。前者四柱一篷，四面通达，可以观赏两岸景色。艇舱可坐十人左右，由一女船娘在艇尾操双桨驾驶，多泊于东堤。东南西北，游客可以指挥自如。“洋板”头尖，有大小两种，大者有篷，珠帘掩映；小者无篷，潇洒玲珑。船家站艇头撑篙，也备有单桨，供游客即兴之用，所谓“画船士女亲操楫”，“水窗明瑟共一杯”也。此种“洋板”多泊于荔枝湾桥头，游客一到河边，船家即纷纷抢着叫道：“叫艇呀？游河呀？”招客下船。艇租以时间计算，每小时一元左右。“洋板”多沿着荔枝湾游览。河上有卖小吃的小艇，游客可以吃到真正的“艇仔粥”和水灼鲜虾，边吃边谈，十分惬意。有兴致的还可以直出珠江，“纵一苇之所如，凌万顷之茫然”，信乐事也。

住宿艇，泊于长堤一带，亦以东堤为多。住宿艇为一小艇，艇中心即为床铺。艇租与下级旅店相近，而颇为整洁。四乡来省城的旅客，多喜欢住此小艇，但有时亦为窝藏“野鸡”（妓女）的所在。

过海艇（通常叫做“横水渡”）。广州人叫过河为“过海”，为什么叫“过海”？众说纷纭。大概在很久很久以前，广州原为海边，而“河南”是一个岛之故。过海艇有两排座位，每艇限坐十人，每人收费一仙（铜板）；但如果你身上无钱，也可以免费过海，只要你下艇时声称“搭艇”即可。“搭艇”是在十名人数之外，限搭一人，不能多载。沿长堤有四个埠头：大钟楼过大基头，西濠口过金花庙,海珠南过海幢寺,五仙门过堑口等地。

由于社会变迁和发展,浮家泛宅的水上人家都已迁居陆上,不再以艇为生,现在这四种艇都已经没有了。

记广州水上托儿所

李小松

1947 年 5 月,社会部儿童福利科长任宝祥教授,南来视察所属的育幼一、二、三院,那时我任二院院长。教授在视察工作之余,约我陪他去白鹤洞培英中学看望阔别十多年的燕京大学同窗。我们便在沙面雇一小艇,过江而去。

过江时,任教授发觉为我们摇船的女船家背着一个幼儿,弯下腰来鼓桨,摇得满头大汗。而沿江所见,许多小艇都有这样情况。还有不少幼儿在艇头,一条绳子系着腰,另一绳子系一木葫芦,孤零零地呆坐着,任风吹日晒。任教授对我说,如果搞个水上托儿所,把这些幼儿都收为日托,既使幼儿得以教养,又可解除这些妇女的重负,岂不是好?我当表示赞成并大力支持,成此美举。

任教授回南京后,不出旬日,我就接到福利科通知:拨给一笔款项,作第二院经费,并在该款项中借出五分之一作水上托儿所开办费。

四个多月后，陈所长约我去看看已装成的水上托儿所。只见一艘“花尾渡”粉饰一新，底层间作一大二小课室，亦作饭厅之用。二层安放约一百二十张小孩木床。顶层露天的，有红花绿草点缀，是游乐场所了。我特别注意安全措施，见各层周围的护栏、梯级都好。厨房设在船尾，布局也较合理。再过几天，就开始接受水上人家的幼儿入托了。初收一百人，一天供早午晚三餐，完全免费。晚饭后，父母便把孩子领回。后来我又建议陈所长，有些船艇会远航，即日未能返抵广州，那么，容许这种情况下的幼儿留所过夜，以解父母的悬念。

广州水上托儿所着实解决部分水上人家的实际困难，而其意义重大，即在于开创性。那时，我还没有听说过有专为水上人家而设的水上托儿所。这可在我国幼儿教育史上添上了新的一页。可惜，这水上托儿所到1949年1月就停办了。

今天，水上人家已全部住上高楼，妇女便都“梳髻修眉上岸来”，水上托儿问题已经不复存在了。

梁新记发家的广告术

曾昭璇

佛山梁日新于本世纪初创办梁新记兄弟牙刷公司,成为我国著名民族资本家。梁新记牙刷在国内外享有声誉,和他的广告术有重要关系。

1.选定“一毛不拔”作为宣传口号。

梁先生原先开了一间家庭式小手工业牙刷作坊,母亲原是制刷工人,他本人是牛骨开枝工人,母子合作,制成牙刷后,挑担上街,货担上写上“一毛不拔梁新记牙刷”字样,以广宣传。由于当时人工穿刷最易断线脱毛,故选用“一毛不拔”这句俗语来作号召,直至成为我国首家机制牙刷还是用这句话作宣传,使后来上海、广东人都把“梁新记牙刷”一语作为“一毛不拔”的歇后语。

2.利用响亮叫卖声串成歌唱叫卖。

梁老板利用身体壮健,叫卖声洪亮的优势,再创出一串唱歌式的叫卖声,吸引用户。他的叫法是:“有一毛不拔嘅(的)梁新记牙刷卖咧……”把“咧”字拉成很长的腔,远近可闻。故经村过街,群众容易记忆,等他货担到时,群来购买。

3.送货上门,担担一个样。

梁老板生意兴隆后，仍保持货郎本色，送货上门，这也是他经营手法之一，保住四乡地盘。他请的伙计都是经过特殊训练，一人一担，送货下乡推销牙刷。个个担一个样，个个身体壮健、相貌相似，叫卖声音、叫卖方式也一个样，够声够力。据说在未扩展为大厂前，已有一二十担牙刷，在佛山各乡穿梭叫卖，成为当地名牌货。

4.在挑担上作广告。

梁老板还在每个挑担上采用同一装饰——都是用红布把挑担围起来作招牌，挑入村中。因为红色不但远处可见，且似喜事临门，迎合乡村群众心理。人们即被红色挑担吸引，看看热闹，围拢过来，做成气氛，购买者就多起来了。

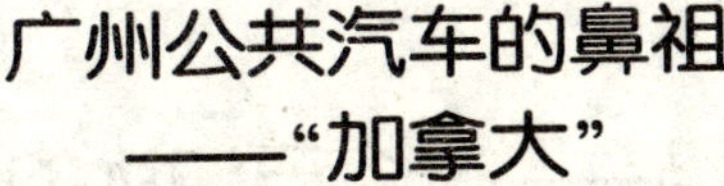

广州公共汽车的鼻祖——“加拿大”

梁荔夫

本世纪二十年代之前，广州初辟马路，尚无公共汽车之设。市内交通只有“车仔”（黄包车）和为数很少的汽车。二十年代初期，有人从大洋彼岸的加拿大购回几辆旧货车，加个顶篷，设两排长坐椅，改成简陋的客车行走市内搭客。初时行车路线只有一条，由财厅前经惠爱路到太平南普济桥及西濠口止。沿途不设车站,乘客可随时扬手叫停上落,上车后不分远近,一律收白银一毫。

有趣的是：由于这种公共交通工具在当时是件新鲜事物,好奇附搭者颇不乏人。而那时并无“公共汽车”名称,市民只按它最初出现时挂在两边车栏的“搭上加拿大,快趣(快捷)好世界”的广告而直呼其为“加拿大”。以至后来“粤东”、“广安”和其他公司开办的公共车营运也照此称呼,“加拿大”便成了广州早期公共汽车的通俗名称了。当年广州还流行过这样一首顺口溜,云：

> 搭到加拿大,快趣好世界。行路摩(慢)得多,车仔(人力车)有咁快(没有这么快)。一粒嘢之马(一角钱罢了),快搭加拿大。

巡城马——一个已淘汰的行业

梁俨然

清末民初，有一种特殊的职业，叫“巡城马”。巡城马是城乡之间沟通联系的重要角色。当时邮务工作还未有完整的建立，解决城市与乡村的联系和通讯，巡城马就是一种最有能动性的“工具”。其具体的工作,一是邮递,二是汇款,三是包办零星采购与运输。他的邮递工作与今天的邮递员大不相同。他不独代带来往信函，而且连包裹也送到家门。投递时还往往要给收信人读信。因为那时乡下的人不少是文盲，有的连名字也没有，信面所写只是：烦带李某某家下收，或陈某某母亲收，赵某某内人收等等。由于巡城马与收发信人其中一方相熟，兼有一定文化，才能担任这一工作。寄信时，由发信人付酬的，信面写有“力金已付”；由收信人付酬的，写上“到奉”二字。那时尚未有什么邮汇或银行汇兑，巡城马就代人带送来往款项家用。还有代购各种用品和小件货物。甚至偶有受托代带子弟到城市见工（求职时老板约见）或与家人团聚。业务不足时，有些巡城马也兼营副业——做水客（小行商），从乡间带土产往城市，或从城市带些通用货物回乡销售。

巡城马通常是壮年男性，身体结实，行动敏捷，口齿伶俐，无不良嗜好，为公认信得过、靠得住、受欢迎的人。他们大都在腹部系着多分格的兜肚式大荷包，人们望见这种特别标志，就会欣然相告：“巡城马又来了。”今天，这行业已成陈迹，但在社会发展的历史过程中，委实起过一定的作用。

广州七十年前的巡回文库

倪俊明

1921 年广州市教育局成立后，为进一步发挥图书馆的社会教育功能，曾创办了“巡回文库”，隶属广州市第一通俗图书馆，以引发群众的读书风气，普及文化知识为宗旨。巡回分马路、内街、水面三条路线。运书马路用车，内街挑箱，水面划艇。每日上午十一时至下午五时，晚上七时半至九时半为巡回时间。设管理员专责管理，按图书分类编目备查，并订有详细的借阅办法，如：

——借阅图书须按月挂号，由馆管理员如期按址送书上门，三天一换。每次不得多于四册。

——期满如需续借，必须出示原书，重新填写“借券”，续借不得多于两次。倘不能出示原书，或有污损、遗失者，照价赔偿。

——挂号、借阅，一律免费，借阅人只须填写“借券”。

另规定有些书如读者需求，可通过管理员代购。

巡回文库创办后，市民称便，极表欢迎。每天借出的书达四百册以上。后来由于政局不稳，巡回活动遂告终止。可是,这一促进文化普及的巡回方式以及便民利民的措施,对今天来说,仍有一定的意义。

翩翩棋亭与"四大棋王"

梁俨然

广州西关宝华正中约,旧有翩翩茶室,原为晚清富绅周东生(周老十)故宅中的园林。周家没落后,遗址改为翩翩茶室。内有回廊亭榭,颇具园林之胜。每日到茶室品茗的茶客,常在此"飞车走马,驱兵逐炮",逐渐成为棋迷的活动场所。故又称翩翩棋亭。

当时棋坛名宿如冯敬如(混名烟屎泽)、黄松轩(混名棋王七)、卢辉(混名搭棚仔)、李庆全(混名广西佬)等,都经常在此斗棋。冯以单提马见称,李以沉底炮见长;黄、冯对弈,尤脍炙人口。1931年12月,广东省举行首届象棋比赛,参赛的有一百四十多人,比赛结果是:冠军黄松轩,亚军卢辉,季军冯敬如,李庆全名列第四。因此,棋坛有"四大棋王"之号。而他们都是翩翩棋亭的棋友,一时传为佳话。

汉奸的称谓种种

陈伯衡

广东沦陷期间先后落水的汉奸，人民以鄙夷之情，分别给予滑稽的称谓：彭东园为首组织广州治安维持会，至汪伪组织成立后下台的，时人称之为“前汉”；汪系以陈耀祖为首组织伪广东省政府，则称为“后汉”；许少荣出任汕头市长后，潮阳、揭阳等地均属许势力范围，该地区为粤之东，人皆称之为“东汉”；后来，日寇进攻粤北，肇庆陷落，伪中山县长区大庆以暴戾残酷为日人所赏识，起而主持西江一带，人皆称之为“西汉”。

此外，招桂章充任伪海军司令，只有几艘破旧小轮在珠江河面游弋，出不得海，人皆称之为“河汉”；罗赓嵩任广州地方法院院长，人称之为“罗汉”；司法界中广东高等法院院长兼军法处长陈鸿慈与教育界中之张菊甫，皓首白须，人皆称之为“老汉”；汪精卫、陈璧君之公子王孙以及凭借父祖辈而得一官半职者，人皆称之为“软汉”；有些是落水后所捞的油水不多，食不到羊肉而惹得一身骚者，人皆称之为“蠢汉”。

以古董为进身之阶

陈伯衡

敌伪时期，广州官场的黑暗，人所共知。而宦海浮沉，每与古董有联系。当时借献古董为进身之阶的大不乏人；但亦有献非所爱，不被“哂纳”而致罢官的。

上有所好，下有所承。陈璧君、陈耀祖都酷爱古董。秦铜、汉瓦、六朝塑像、唐宋陶瓷、玉石雕刻、书画、玩器，皆其所好。只要善于投机纳贡，辄能置身通显。广州西关平地黄的东床马老二(马武仲)自诩为“古董家”，因介绍其舅将家传宋瓷“紫鼎水底”(即花盆底之瓷碟，此类瓷器留传于世绝少，为玩古董者所珍视)让与汪精卫，获价军票五千元，马因此而得为“汪公馆”之客卿。一般欲谋一官半职的人也莫不以得交马老二为荣。马居大同路之住所，系其妻之嫁妆，家私多为紫檀与酸枝，雕刻精美，打磨工细，衬以汉鼎清瓷，春兰秋菊。其古书名帖，古砚名墨，秋毫之笔，醉红之洗，名刻印章，八宝印泥，在都考究异常，精致特甚。陈璧君常到其寓休憩，一时车水马龙，灯红酒绿。陈尝盛赞马家紫檀大书桌之精美，马闻言不到半天就将大书桌送到“汪公馆”去了。

汪屺以“亲王”关系充古董鉴别大臣，所有一切进献的古董均要经他鉴定，认为真品，始予赏收；如系赝品，即遭退回。当日伪市长关仲篪与我同在市府办公，一天，指一花瓶对我说：“这个瓶子买价军票六百元，是上献陈璧君的。”十余天后，我又见这个瓶子放在他的办公桌上。问其原委，他说：“陈璧君不赏收，退回来的。”关自此失宠，不久即被撤职。一瓶之差，结果如此，深悔莫及。

十四K党的由来与葛肇煌

广　斌

阅读过港澳报纸的人，都会知道有个黑社会组织十四K，它的成员每自称十四K党人。其实十四K并不是什么政党，它只是洪门三合会派系的一个组织，原名“洪门忠义会”，创建人是葛肇煌，会所原在广州。

葛肇煌是广东河源人，青年时曾在国民党九十三师当过通讯营营长，后来参加军统。1941年间，曾任广东缉私处惠阳查缉所专员。那时日寇已占踞广州，地方不靖，乡人多购置枪支自卫，葛便称有办法买到枪支，惠阳人交给他一笔钱买枪，久无下文。这件事有人向军统局检举，于是葛被撤职，并在韶关关押了半年，后以无实据得释放。军统以葛做营长时曾驻防西江，便委他为广东西江独立行动大队长，要他相机派人潜入广州，对日伪进行骚扰。葛却躲在三水县芦包镇，利用身份，勾结附近的大天二，做些贩私运货生意。

1945年8月，日寇投降，葛匆忙带领亲信赶到广州，想发些接收财，可是有些肥水，如禁烟局的鸦片和可供敲诈的台湾富商，已被“别动军”棋先一着，那些为日军看守的物资他又不敢动，不胜懊丧。此时有人向他建议说：“广州有个以汉奸李荫南、冯璧峭为首的洪门组织叫‘五洲洪门大同盟西南执行本部，会所在一德路一座三层大洋楼，尚未被接收大员注意。这个组织的头子，关的关逃的逃，已风流云散，只剩喽罗百余人，你葛大哥可去接收，既可得到一座大洋楼，又可做洪门的大哥。”葛大喜，即照此办理。可是又有人向军统举报，说他擅自接收伪产，组织黑社会，乃饬广东站对葛查办。适逢那时广东站的主持人是葛的老友，替葛开脱，并向军统建议说：“黑社会势难禁绝，不如让葛控制它，尚可以供今后利用。”军统同意了，葛得未受处分，还能正式搞帮会。其实那时葛尚未正式加入洪门，到1946年3月间，才由一位三合会的传斗师吴一峰正式“扎”(提拔)为三合会的“双花红棍”。

自此，葛既有了军统的靠山，又有当时广州站营参谋长甘丽初(他当营长时的老上司)暗中支持，他就放胆发展他的洪门组织。葛以“五洲

洪门大同盟西南执行本部”原是汉奸组织起来的，沿用此名，必受人指责，于是将它改称为“洪门忠义会”。此时，广州西郊土霸“泮塘皇帝”李润和其他一些地方恶势力也投靠了忠义会，他们在广州西郊公然开赌，葛还在西关租赁一间豪华大屋，诱一些上层分子去聚赌。到1948年，洪门忠义会已成为广东最大之帮会组织。

当时，洪门忠义会的会所设在广州西关宝华大街14号。会员到会所，只称“到14号去”，以后，“14号”成为忠义会的代称。“14号”后又讹传为14K。金饰中有14K金，后来他们竟自称为14K党。14K党来源实由于此。1953年葛肇煌病死于香港，该组织成员仍自称十四K党人，但多数人已不知其名称的由来了。

入夜的叫卖声

龙劲风

入夜，广州的街头巷尾传来了叫卖声，叫卖着各式各样吃的东西。我在孩提时，常为这些叫卖声所吸引。

首先是卖甜品的担子，叫着："芝麻糊——绿豆沙——杏仁茶。""糊"字和"沙"字拉得较长，"茶"字则短促而低沉地刹住，很有音乐节奏感。这些甜品三两个仙士(铜板)一碗，也可以一碗杂三款，间成黑白黄三色，好看又好吃。

其次是叫着"鸭头鸭翼"的担子，孩子们把它叫成"拍床拍席"。卤水的鸭头鸭翼香喷喷的，也有鸭颈鸭脚，前者贵些，后者便宜些，也是几个仙士一件。

第三种担子叫的是“沙河粉——叉烧鱼肉米粉”。素粉每碗三仙士，肉粉半毫至一毫。调味酱料，式式俱全。

第四种是“鱼生粥”，这是广州特有的粥品，里面有海蜇、鱿鱼、鱼片、叉烧、炒花生等等，十分可口，每碗一毫。

再有是馄饨担子，他们敲着竹片子代替叫卖声：“得得笃，得得笃……。”声音清脆而有节拍，全街都可以听到。他们用鲜虾包的馄饨，鸡蛋擀的面条，“大地鱼”熬的上汤，味道非常鲜美，每碗售价也不过半毫或一毫。

街巷的居民，一听到这些叫卖声，都不禁食指大动，走出门来。而住二、三楼的，也可以不用下楼，只要放下吊篮，吊下钱来，便可以把食物吊到楼上了。

这些叫卖声组成了柔和的交响乐，飘荡在宁静的夜色之中。

广州“三蛇龙虎会”

李其钦

广州蛇餐，名闻海内外，由来已久。每当秋冬季节，不少人都想一尝蛇羹风味。当其初试时，每抱着怀疑心理，一试之下，其味无穷。究竟它的魅力何在？质言之是：奇而不怪，野而不俗，清而不淡，肥而不腻，补而不燥，故云“野味不野”。此中烹制技艺，选用材料，都经历了长期的摸索发展。

早在西汉时，《淮南子》就已有“越人得蚺蛇以为上肴”的记载。中原民族南迁后，也不能不受影响。清代文献载：“若村圩之间，多有食蛇鼠者，谓蛇为茅鳝，鼠为家鹿。粤人亦虑人之见嗤，而强以美名盖之也”（清张渠《越东闻见录》）。可见清代蛇食还未登大雅之堂。然则蛇餐何时才登上盛筵呢？看来应是20世纪初。人们烹蛇从带骨切段熬汤改进为拆骨取肉，配合其他细作上料，和而为羹，于是面目一新，声价十倍。

二三十年代陈济棠主粤时，广州河南有虎而冠者，名江孔殷，字霞公，清末翰林，人称江太史。所居为“百二兰斋”，以文酒结交军政要人，称雄一方。家厨李有财以擅烹调著称，尤以蛇羹为独到，且开风气之先。当时大三元酒家亦以太史蛇羹为标榜，又有“秋风起矣，三蛇肥矣，嗜蛇者食指动矣”的流行广告。此时的蛇羹，除以三蛇为主料外，还以老鸡、果子狸等去骨拆丝，合会为一锅，称“龙虎凤斗”，为席上之珍。上席前加蟹爪白菊瓣、柠檬叶及炸萡脆，色香味美，飨誉国内外，至今不衰。

专业蛇餐，则创自南海大沥人吴满。吴原业捕蛇，向药肆交售蛇胆。十九世纪八十年代，开

设蛇店于广州新基，号“蛇王满”，自浸蛇胆酒，兼售蛇壳汤。至本世纪三十年代初，改进烹调，增加配料，以美食蛇羹招徕。广州沦陷后，蛇店毁于火灾，翌年复业于桨栏路，扩大经营，继而开拓蛇食品种，后发展为供应炖、炆、焗、煎、炒、炸、红烧等蛇食系列的现代蛇餐馆。

“神福面”与“二嫂粥”

苏文炳

二十年代广州大同路有一家福馨菜馆，门口有红绿灯幌，称三楚馆。它除包办宴席外，还设早晨茶市。营业时间比一般茶楼早，对象绝大部分是粤汉铁路广州南站的搬运工人和装卸工。著名食品是“神福面”(一种大肉面。神福，原指祭祀用的食物)。对肉的炮制颇为独特：选用最佳的五花肉，切成肉片，蘸上南乳、蒜茸等味料，在油锅里炸透，再用水泡过，每小碗盛四件，放在蒸笼里炖至松化。这种“神福面”，肉味甘香而不腻滞，价格便宜。

无独有偶，在梯云西路(又名“西炮台”)有一间小食店，也从凌晨起营业。这家小店面积不到二十平方米，连一个店名的招牌也没有。由一位中年妇人当厨，人称“二嫂”，制售及第粥。她制作有其绝招：除按传统习惯逐碗放上猪肉、猪肝、猪粉肠在粥里生滚(煮)外，另加入猪生肠，切肉注重刀法，肉片厚薄得当，火候适中，吃起来特别爽脆可口，生意越做越旺，人们称它为“二嫂粥”，远近驰名。笔者当时随师学艺，参加通宵戏曲演出，散场已近天亮，刚好趁上品尝，视为一种享受。

禾虫与田鼠

李小松

外地人常嘲笑“老广”：天上会飞而不吃的是纸鸢，地上四条腿而不吃的是板凳，此外无论蛇虫鼠蚁，无不食而甘之。食蚁虽未之见，而蛇虫鼠，广东人确视为佳肴美食。

且说禾虫，夏虫不及秋虫肥美。秋收后，有些河滩地方便有大堆五颜六色的禾虫蠕蠕而动，大小像蚯蚓，有长数尺的，可自行断为若干段，浮游水上。儿时在乡，曾随长辈划船捕捉，少顷即满舱。

吃禾虫之法，先用清水漂净，去水，还要不时用干布吸尽禾虫吐出的腹水，然后注入生油，让禾虫饱吃，经消化，用剪刀剪破，便全是黄澄澄的禾虫浆，用布袋隔去虫衣，加油条片，少量米酒及榄角，稍炖凝结如黄糕，食时，再加酱油、熟油、胡椒末，则腥味尽除。它含有高蛋白，乡人

有用以作主膳的。如把禾虫成条蒸熟晒干，有治脚气之功。

再说田鼠，放水灌田后，成了“水淹七军”，靠吃田中作物长大的田鼠，纷纷出洞。农民合围，一日可得三、四百只。劏洗干净的田鼠，肉味鲜美，无腥味。腊干，混身黄油油的才是正品田鼠，据说吃之有生发奇功。

池记云吞面担

曹其华　何世荣

云吞（馄饨）面这种大众化的食品，其店档遍及广州街头巷尾，日夜都有供应，甚至深夜仍有面担穿街过巷。他们从不高声叫卖，而以敲击竹片为号。遥闻传来“得笃、得笃、得得笃”，宛如“仅熟、仅熟、仅仅熟”的清脆“市声”（煮面以仅仅熟而不过熟时最为爽脆可口），就令人油然想起爽滑甘美的云吞面，如闻一股馋人的面香。笔者七十年来曾品尝过不少各地的馄饨面，但总觉得其味不及广州的独具鲜美爽滑之胜。盖因其用料和制作都大有不同——用上等精面掺鸡蛋白擀出的云吞皮，薄如绉纱；馅料则以肥三瘦七的猪肉为主，捣烂后配以鲜虾仁、冬菰、甫鱼等拌和，裹成的云吞白里透红，煮熟后荡漾在碗中，载浮载沉，宛如朵朵云霞。“云吞”之名也许由来于此，不仅谐音馄饨而已也。其次，擀制面条也是以蛋白拌以上等精面加水，然后用竹杠一头插在案板旁的墙孔，全身跨在另一头用力将面坯来回擀压，直至面坯韧极而富弹性为止。然后切成面条，名曰“银丝蛋面”。云吞面行话简称为“蓉”，以其象征金线吊芙蓉也。上汤一般以猪骨、虾头、甫鱼、虾子等料熬制。档主常喜在“汤”上多下功夫，匠心独运，务使滚汤中飘出香气四溢，引得途人馋涎欲滴，以广招徕。

二十年代，广州西关有一家“池记”云吞面担，以其用料精良，制作细致，深受顾客赞赏，遐迩闻名，被誉为“池记面王”。每当夜幕低垂，万家灯火之后，这一摊档便出现在荔湾街旁。几张方桌凳条，设备简陋，但食客如云。其中不止有广大市民，还有不少摩登小姐、纨裤阔少、富绅巨贾、政要闻人，都不惜纡尊降贵来顾，一快朵颐，马路边常有为光顾池记而来的私家豪华小汽车，鱼贯停泊。陈济棠的夫人莫秀英亦是常客。曾有富商某，肯斥资助池记开店，但被婉拒，宁愿抱残守缺，满足于街边摊档，为时人乐道。

池记尽管贵客盈门，生意兴旺，但并不天天营业，只是时开时歇，谁也摸不准他的营业时间规律，常令许多慕名远道而来的食客扑空扫兴。原来这位老板喜贪杯中物，一杯在手，不醉无归。酩酊之中，常与妻子勃谿，有时小吵即止，有时闹得不可开交。闹完便蒙头大睡，耽误了当天擀面、备料的安排，只好停业。于是，人们逐渐摸

清了他的脾性，知道池记面王有三不卖——雨天不卖，喝醉酒不卖，跟老婆吵架不卖。

广州的西餐与太平馆

龙学礼

广州人吃西餐和制作西餐，已有一百多年历史了。而西餐作为民间饮食供应，并非一开始就登上大雅之堂，却是在街头流动小贩上先出现。

1860年间，原沙面其昌洋行的厨工徐老高跳出了洋行，自做煎牛扒，肩挑上街，边煎边卖。由于味美价廉，一角几分便可尝到，不但一般市民爱吃，即医生，学者以至清朝一些官吏，都争相购买。生意越做越旺，便在南门外太平沙更楼下开设固定摊档，因地取名“太平馆”。后来发展到建起三层楼房，成为广州历史上最早的一家西餐馆。

到本世纪三十年代，广州已有三十多间西餐店。当时各餐店竞聘名厨，精心巧制一定名菜美食，以广招徕。如哥仑布的烧童子鸡、新洋焗肾翼、烟鲶鱼；华盛顿的洋葱猪扒、焗猪扒饭；东亚酒店的咖喱鸡等，各有千秋。太平馆则以烧乳鸽、焗酿蟹盖、葡国鸡、焗疏扶厘（西点）四味为最享盛誉。初秋季节还有甘香可口的焗禾花雀。

这些都经过精心巧制，富有广州特色，广为中外人士所赞许。

1926年，徐老高后人承顶了财厅前国民西餐馆，成立太平馆支店，与太平沙老馆两店一家，并驾齐驱。在三十年代广州西餐业全盛时期，太平馆在同行业中允执牛耳。

太平馆还有一件值得纪念的盛事——周恩来、邓颖超1924年在广州结婚时，就是假座太平沙太平馆，以简朴的茶会招待各界来宾，庆祝一个革命家庭的建立。这一历史性的盛会，也为这老字号增添了光彩。1958年，周恩来总理还到过财厅前经合并扩大了的太平馆，垂询该店业务，并殷殷问及三十年前老店员的近况呢。

品茗在当年

龙劲风

我年轻时，很喜欢上茶楼，而且最喜欢上第十甫的陶陶居、莲香楼，惠爱路的惠如楼、占元阁，太平桥的太如楼，珠玑路的多如楼和河南的三如楼等处。

我之所以喜欢到这些茶楼饮茶，首先是因为这些茶楼最具广州特色——楼层高耸，地方通爽，座位舒适。这些茶楼一般都是三层，第一层有六、七米高，第二、三层也有五米上下，四面

全是高高的玻璃窗,光线充足,空气清新,外望视野广阔。厅内挂有镶镜的名人字画，如吴道镕、谭延闿、陈融、张之英、苏世杰等甚至何绍基、赵之谦、康有为等人的条幅、对联等名迹或木刻都有。环境布置古雅，坐下来使人心旷神怡,毫无烦嚣之感。加上当时顾客不挤,极少搭台,卡座则更佳。二三知己,自占一桌,可以畅谈心曲,不受干扰。

其次是“水滚茶香”。“水滚”是每个茶厅都设有“座炉”,每个水煲都喷出腾腾蒸汽;“茶香”是这些茶楼都选用各种岩茶。另备茶具盛开水让茶客自行洗杯消毒,然后滚水冲落“局盅”(盖碗),茶瓣慢慢舒开,回复嫩叶形状,视感、口感均极佳妙。

第三是点心精美多样。这些茶楼都以“星期美点”为号召,每周点心式样都能推陈出新。还有以“卖大包”的招徕策略,每朝都有“鸡球大包”出笼,每个只售毫洋五分,每人限要一个。大包有饭碗那么大,真材实料,借此以吸引茶客。

茶客在茶楼每朝可以长坐两三个钟头,每人“一盅两件”,可以与好友谈心,可以读书看报，甚至可以在这里写稿，真是个消闲的好去处。无怪乎毛泽东给柳亚子的诗也有“饮茶粤海未能忘”之句;鲁迅、郁达夫的日记都不乏广州品茗的记载。

郁达夫喜爱广州美食

汤定华

名作家郁达夫于1926年间在广州中山大学任教期间，对广州的“美食”十分赏识。其时广州的茶室、茶楼、酒馆林立，他到过的不少，品尝到的广州美食，在日记上也常有叙及。

郁达夫特别喜欢吃广东菜。广州四大酒家南园、西园、北园、谟觞，除了食品精美之外，更使他欣赏的是这些大酒家园庭雅致，花木扶疏，别具一番情趣。如谟觞酒家就有一拳石斋、二西山房、三雅堂、四美轩、五柳亭、六梅榭等处，都是他留连欣赏之地。此外，如陆园茶室、菊坡酒家、玉醪春酒家、武陵酒家、清一色、妙奇香酒家等，郁达夫亦为常客。他很欣赏广州的点心，尤以玉醪春松化可口的芋角为津津乐道。

郁达夫喜郊游，广州北郊的宝汉茶寮（店主人得汉《二十四娘墓》碑，宝之，因以为名），是他常涉足的地方。在那里，可以吃到新鲜的郊外蔬菜，鱼片炒沙河粉等具有地方风味的食品，又可欣赏到竹篱茅舍的田园景色。西郊荔枝湾也是消闲游玩的好去处。夏夜初临，画舫如鲫，还有作为酒舫的紫洞艇十分热闹。郁达夫却对此兴趣不大，但对别具特色的艇仔粥（以鲜鱼片、海

蜇、叉烧、炸花生等调制，在小艇叫卖的）特别垂青。有时，他又到六榕寺吃斋菜，换一换口味。那时在广州也有不少川菜馆和北方馆，有半斋、别有村、聚丰园等，其中聚丰园以加酥烧饼和灌汤包著称；太平西菜馆以烧乳鸽和焗蟹盖驰名。郁达夫的笔下，亦有提到，但总不如对粤菜的欣赏了。

后 记

《羊城撷采》是广州市文史研究馆组编，由馆员和社会各界人士通力合作，筹组稿件，并整理了部分已故馆员遗作而成的文史笔记。历时一年，收文稿逾七百篇，题材广泛，绝大部分是作者亲历、亲见、亲闻与广州有关的旧闻轶事，弥足珍贵。其中“故老谈丛”、“食在广州”等栏尤富地方特色。由于篇幅所限，我们精选其中部分，计一百三十余篇，缀辑成册，奉献于读者。

本书的组编工作，由吴立副馆长统筹布置，馆员龙潜庵、龙学礼、李小松、曹其华诸老先生参加统稿，付出了辛勤劳动。叶耀、杜森明同志做了大量的具体工作。初稿送审后，承丛书编辑部提出了不少中肯的意见，对此深表谢意。书中疏漏不足之处，在所难免，敬希读者提出宝贵意见，藉资改进。

编　者